走进樱桃园,你能听见,
童年歌唱的声音。

YINGTAOYUAN
YANGHONGYING
ZHUYINTONGSHU

樱桃园·杨红樱注音童书

最美的一课

杨红樱/著

浙江出版联合集团　浙江少年儿童出版社

目 录 MULU

又见蜜儿

我喜欢有孩子的地方。有孩子的地方，就有美丽的故事要发生。

——蜜儿

一

月亮在秋天的夜空中穿行，一会儿看得见，一会儿看不见。这样的夜晚，颇有几分神秘的色彩。

刺耳的铃声短促地响了几下，把这神秘之夜的神秘感破坏了许多。紧接着，白格子窗里的灯光，一盏一盏地熄灭了，那座灯火通明的红色建筑，变成一个黑黝黝的庞然大物，有些狰狞地高耸在那里。

红宫学校的学生们下晚课了。

在从教学楼通向宿舍楼的林荫道上，穿着统一校服的学生们，脚步匆匆，像赶火车一样，往寝室里赶。从九点半钟下晚课到十点钟吹熄灯号这短短的三十分钟以内，学生们要从教学楼回到寝室，要淋浴，要脱衣上床，一刻都不能停下来才行。所以，走在路上，没有谁会抬头看天上的月亮，没有谁会去聆听从田间传来的蛙声，甚至没有谁会闻到校园的桂花树已经在送出最初的芬芳。

孟小乔的脚步有些拖沓，她有点累。

每天下晚课，她都有点累。

"你快一点呀，我帮你背书包。"已经走到她前面的庄梦娴折回来，把她的书包抱过来挎在肩上，"你忘了，昨晚你还在卫生间里就吹熄灯号了。"

孟小乔加快了脚步。

前面就是钟楼了。在这所学校里，孟小乔最喜欢的建筑物就是这座小巧别致的钟楼。钟楼的前面是岔道，向右走是通向宿舍楼的路，

xiàng zuǒ zǒu jiù shì xué xiào zuì pì jìng de dì fang le
向左走就是学校最僻静的地方了，

nà lǐ de yě cǎo zhǎng de bǐ rén hái gāo
那里的野草长得比人还高。

mèng xiǎo qiáo yǐn yǐn yuē yuē de kàn jiàn zhōng lóu
孟小乔隐隐约约地看见，钟楼

xià miàn zhàn zhe yī gè rén yī gè nǚ rén
下面站着一个人，一个女人。

nǐ kàn mèng xiǎo qiáo yī bǎ zhuā zhù
"你看——"孟小乔一把抓住

zhuāng mèng xián de gē bo zhōng lóu xià miàn zhàn zhe
庄梦娴的胳膊，"钟楼下面站着

yī gè nǚ de
一个女的。"

zhuāng mèng xián bìng méi yǒu cháo zhōng lóu nà lǐ
庄梦娴并没有朝钟楼那里

kàn suí kǒu dá dào yǒu shén me qí guài de kěn dìng
看，随口答道："有什么奇怪的？肯定

shì gè lǎo shī
是个老师。"

bù shì lǎo shī tā shēn shang wéi zhe dà pī jīn
"不是老师，她身上围着大披巾。"

shén me shén me yī gè wéi zhe dà pī jīn de nǚ rén
"什么什么，一个围着大披巾的女人？"

zhuāng mèng xián jǐ hū yào tiào qǐ lái zài hóng gōng xué
庄梦娴几乎要跳起来。在红宫学

xiào lǎo shī men yě chuān tǒng yī fú zhuāng nán lǎo shī chuān hēi
校，老师们也穿统一服装，男老师穿黑

4

西装，女老师穿黑套装，绝不可能有围着大披巾的老师。再说，红宫学校是一所全封闭的学校，除了学生和教职员工，任何人都进不了学校的大门，除非这个人长着翅膀。

庄梦娴要去看个究竟，孟小乔赶紧拉住她，只说自己眼睛看花了。其实，当她真真切切地听到从庄梦娴嘴里说出"一个围着大披巾的女人"时，她已经知道这个人是谁了。

二

孟小乔想起的这个人是蜜儿，她的

身上总是围着一条大披巾。这个蜜儿曾经是孟小乔家中的保姆，但她并不是真正的保姆，她是……唉，就是因为孟小乔泄露了她的秘密，她才离开孟小乔家的。直到现在，孟小乔对蜜儿还怀着深深的负疚感。

孟小乔坚定不移地相信，她昨晚在钟楼下看见的，就是蜜儿。别的人进不了这所全封闭式的学校，只有蜜儿能。

孟小乔还坚定不移地相信，明天，她还会见到蜜儿。

这一天，似乎特别的漫长，其实这一天跟红宫学校的每一天都是一样的；早晨六点钟起床，六点半钟上早课，七点半钟吃早餐，八点钟上课。上午五节课，下午四节课，晚上七点半钟上晚课，九点半钟下晚课……孟小乔就盼着下课铃响，就盼着天快快地黑下来。在晚课快要结束的时候，孟小乔却有些紧张起来。下晚课的铃声终于响了，孟小乔慢吞吞地收拾着书包，她要避开班上的同学，特别是要避开和她形影不离的庄梦娴。

庄梦娴偏偏就要等着她。看孟小乔收拾书包的动作慢，就在一旁不停地催。

孟小乔对她说："要不你先走吧！"

7

"我哪能让你一个人走回去？"

"嘿，还真把自己当成铁杆护花使者了？"

说这话的是孟小乔的同桌，一个自命不凡、说话尖酸刻薄的"眼镜男生"杜迪生。他不喜欢长得像假小子的女生，庄梦娴长得就像假小子。

庄梦娴跟杜迪生干上了。她一把揪住杜迪生的衣服领子："你是羡慕还是嫉妒？"

杜迪生最怕跟这种女生纠缠不清，只好甘拜下风，逃之夭夭。庄梦娴哪里肯放过他，立马追了去。

孟小乔这才松了一口气。

8

孟小乔是最后一个走出教学楼的。林荫道上的灯不明不暗,把她的影子拉得很长。

离钟楼越近,她的脚步越慢。她已经看见了,钟楼下面站着一个围着大披巾的女人,披巾垂着长长的流苏,在晚风的吹拂下,轻轻地飘扬着。

"蜜儿!"

孟小乔轻轻地叫了一声。

那披着大披巾的女人向左边的岔道快步走去。孟小乔不知不觉地跟了去。那女人一直走到那片长得比人还高的荒草里。在大白天里,孟小乔都不

敢到这个地方来，现在，她却没有一丝一毫的恐惧。因为她坚信，前面那个女人，就是蜜儿。有蜜儿在，她还有什么可怕的呢？

"蜜儿！"

孟小乔又叫了一声。

前面那个女人转过身来——啊，她真的是蜜儿！

当孟小乔扑上去紧紧地抱住蜜儿时，她才彻底地相信这一切都是真的了。

蜜儿有好多话要问孟小乔。

"孟小乔，我不过刚离开你一会儿，你就到这个周围都是田野的学校来了？你为什么不在城里的学校读书？这个学校

wèi shén me yī tiān dào wǎn dōu zài shàng kè
为什么一天到晚都在上课？"

mì ér nǐ yī dìng jì cuò le nǐ lí kāi wǒ yǐ jīng
"蜜儿，你一定记错了。你离开我已经

kuài yī nián le nǐ zěn me shuō cái yī huìr ne
快一年了，你怎么说才一会儿呢？"

ò mì ér qīng qīng pāi pāi zì jǐ de nǎo ménr
"哦！"蜜儿轻轻拍拍自己的脑门儿，

tā wàng jì le tiān shàng guò yī tiān děng yú dì shang guò yī
她忘记了，天上过一天等于地上过一

nián rì zi guò de zhēn kuài a kuài gào su wǒ nǐ shì zěn
年，"日子过得真快啊！快告诉我，你是怎

me huí shì
么回事？"

mèng xiǎo qiáo gào su mì ér zì cóng mì ér lí kāi tā
孟小乔告诉蜜儿，自从蜜儿离开她

jiā hòu zài yě qǐng bù dào xiàng mì ér nà yàng de bǎo mǔ le
家后，再也请不到像蜜儿那样的保姆了。

mèng xiān sheng hé mèng tài tai zài bǎo mǔ de shì qing shang bù
孟先生和孟太太在保姆的事情上，不

zhī chǎo le duō shao huí bù
知吵了多少回，不

shì mèng xiān sheng bù mǎn yì
是孟先生不满意，

jiù shì mèng tài tai bù mǎn
就是孟太太不满

yì hòu lái mèng xiān sheng
意。后来，孟先生

和孟太太发誓，宁愿把孟小乔送到寄宿学校来，家里也不再请保姆了。

孟小乔问蜜儿："你怎么知道我在这所学校里？"

"我也不知道你在这里，全是……"

刚说到这里，熄灯的号声响了。蜜儿赶紧催孟小乔回寝室去。

三

其实，蜜儿在这里遇见孟小乔，完全是一种巧合。

话得从蜜儿离开孟小乔的家说起。

蜜儿在孟小乔家中做保姆，不慎被

孟小乔发现了她是仙女的秘密，她求孟小乔为她保密，但是孟小乔无意中把这个秘密泄露了出去。蜜儿不可能再在孟小乔家里待下去，只好回到天上。

蜜儿回到天上后，去拜望了几位老仙人。老仙人们略施仙术，她那副挂在胸前的眼镜便又增加了许多功能，成了"万能眼镜"；她那垂着长长流苏的大披巾，也增添了更多的变术；她那式样奇特的船形鞋，鞋帮两边增设了一个机关，只要一跺脚，就会伸出两只风火轮，蜜儿可以随风而来，乘风而去。一个活了九千九百九十九岁的老仙人，又送给蜜儿

13

一样宝物——一把弯钩尖顶的紫色伞，这把伞法力无边，可大可小。撑开它，立即会腾起一片紫色的云雾，将蜜儿隐去。如果把伞向左旋转，便可以看到过去的时光；把伞向右旋转，便可以看到未来的岁月。把伞关上，它完全可以代替一根仙女棒，伞尖指向哪里，哪里就有神奇的事情要发生。

蜜儿在人间过了一段忙碌的日子，经历过稀奇古怪的事情，见识过形形色色的人，便嫌天上的日子过于清闲，过于单调，有心再下凡去过把人间瘾。

蜜儿戴上万能眼镜，在天庭里一边散步，一边往下看。透过重重云层，人

间景色仿佛过电影一般，历历在目。

"哎，这是什么地方？"

蜜儿停步不前。她看见的地方显然是农村，在一大片农田的中间，耸立着几幢漂亮的房子，不像是农舍，也不像是度假村。她在孟小乔家中做保姆的时候，曾跟着她们一家去过度假村。度假村的房子虽然也漂亮，但是还说不上大气和讲究。蜜儿现在看见的这几座房子以及整个院子的格局，应该说得上是大气和讲究的。

这个地方把蜜儿吸引住了，她看了很久，终于看出这是一个什么地方来了。这是一个学校，有许多孩子从那座最大的红房子里跑出来。

蜜儿喜欢孩子，有孩子的地方当然就是蜜儿喜欢的地方。蜜儿一跺脚，"嗖"的一声，鞋帮两边伸出两个风火轮。风火轮飞转着，掀起一股强劲的风，蜜儿随风下凡。

蜜儿降落在红宫学校里。当时正是上课时间，校园里空无一人。这时，一辆白色的宝马车驶进校园，龙校长从车里出来，头上突然卷起一阵龙卷风，把他那梳理得一丝不乱的头发，吹成了一堆乱草。

这个过程仅仅只是几秒钟而已。

龙校长的司机也从车里出来了。他

看见龙校长像乱草一样的头发，想笑又不敢笑。"校长，您的头发……"

龙校长有些恍惚："刚才，是不是刮了龙卷风？"

"不会吧？"司机抬头看天，"你看这天，风和日丽的，怎么会刮龙卷风？"

龙校长指着他的头发："那你说，我的头发为什么会乱成这个样子？"

司机张口结舌，他怎么说得清楚，校长的头发为什么会乱成这个样子？

龙校长双手一摊，耸了耸肩，顶着一头乱发，昂首阔步地走进了教学楼。

蜜儿笑起来，她现在就在他们的身边。刚才那阵龙卷风是她带来的风，降到

dì miàn hòu tā bǎ fēng huǒ lún shōu jìn qù fēng lì jí xiāo shī

地面后，她把风火轮收进去，风立即消失

le tā zài chēng kāi nà bǎ zǐ sè de sǎn gěi zì jǐ shī le

了。她再撑开那把紫色的伞，给自己施了

yǐn shēn shù bié ren biàn kàn bù jiàn tā le

隐身术，别人便看不见她了。

mì ér zài xiào yuán li yóu dàng zhe

蜜儿在校园里游荡着。

zhè ge xué xiào zhēn gòu dà de yǒu zú qiú chǎng lán qiú

这个学校真够大的，有足球场、篮球

chǎng wǎng qiú chǎng hái yǒu yóu yǒng chí xué xiào de zhǔ tǐ

场、网球场，还有游泳池。学校的主体

jiàn zhù jiù shì nà zuò wài xíng xiàng yīng guó bái jīn hàn gōng de

建筑，就是那座外形像英国白金汉宫的

jiào xué lóu tōng tǐ hóng sè chéng le zhè suǒ xué xiào zuì yào yǎn

教学楼，通体红色，成了这所学校最耀眼

de yī dào fēng jǐng mì ér hái

的一道风景。蜜儿还

fā xiàn zhè suǒ xué xiào suǒ

发现，这所学校所

yǒu de jiàn zhù wù tā dōu

有的建筑物，她都

sì céng xiāng shí bǐ rú nà

似曾相识：比如那

tú shū guǎn xiàng niú jīn dà

图书馆，像牛津大

xué de léi dé kè lì fū tú

学的雷德克利夫图

书馆；那剧院像澳大利亚的悉尼歌剧院；就连那座钟楼，也是模仿那座闻名全球的大笨钟而建的，当然不是完全的模仿，结构和线条都作了恰到好处的处理。

蜜儿一边看，一边在心里猜测：把学校建成这个样的人，是一个什么样的人呢？是一个男人，还是一个女人？蜜儿的直觉告诉她，肯定是一个男人。因为不用细看，就知道建这所学校是花了许多钱的。一般来说，女人是舍不得这样大手大脚花钱的。花钱也需要魄力。

肯定了这是一个男人后，蜜儿继续往下猜：这个男人一定到过世界上的许多地方，见多识广，恨不得把世界上所有的好东西都搬到这所学校里来。从那几座建筑物就可以看出来，尽管模仿的痕迹很重，但至少可以说明这是一个博采众长、而且有点想象力、又有点求异心的人。这个男人是不是刚才那位龙校长呢？蜜儿不敢肯定。刚才那位龙校长给她留下的印象，只是比较有幽默感而已。

⑪

蜜儿在红宫学校游荡了一天，她觉得奇怪的是，在校园里很少见到学生。即使是下课的时候，也难得见到学生。偶尔

jiàn dào nà me yī liǎng gè   yě shì yī lù xiǎo pǎo   xiàng gǎn kǎo
见到那么一两个,也是一路小跑,像赶考

shì de
似的。

qí guài le   xiào yuán li jiàn bù dào xué sheng   xué sheng
奇怪了,校园里见不到学生,学生

men dōu dào nǎr   qù le
们都到哪儿去了?

mì ér kàn jiàn   bù tíng de yǒu chuān zhe hēi xī zhuāng de
蜜儿看见,不停地有穿着黑西装的

nán lǎo shī hé chuān zhe hēi tào qún de nǚ lǎo shī cóng nà zuò hóng
男老师和穿着黑套裙的女老师从那座红

sè de jiào xué lóu li jìn jìn chū chū   tā gū jì   xué sheng men
色的教学楼里进进出出,她估计,学生们

yīng gāi dōu zài zhè zuò lóu li
应该都在这座楼里。

mì ér jìn le jiào xué lóu   kàn le jǐ gè jiào shì   guǒ
蜜儿进了教学楼,看了几个教室,果

rán xué sheng men dōu zài jiào shì li
然学生们都在教室里。

tā zài yī gè jiào shì li   kàn jiàn yī gè nǚ hái   tè
她在一个教室里,看见一个女孩,特

bié xiàng mèng xiǎo qiáo   dàn tā bù gǎn kěn dìng jiù shì mèng xiǎo
别像孟小乔,但她不敢肯定就是孟小

qiáo   tā jì de tā shàng cì lí kāi mèng xiǎo qiáo jiā li   mèng
乔。她记得她上次离开孟小乔家里,孟

xiǎo qiáo shì shū zhe cháng cháng de mǎ wěi biàn de   xiàn zài zhè ge
小乔是梳着长长的马尾辫的,现在这个

女孩梳着齐耳短发。再说孟小乔在城里的学校读书，这不过是一个长得像孟小乔的女孩罢了。

蜜儿走出教学楼又走回来，她有点不甘心，那个像孟小乔的女孩，到底是不是孟小乔？

蜜儿来到那个女孩的面前，对着那个女孩吹了一口气。那个女孩打了一个喷嚏。"阿——阿嚏！"

"她是孟小乔！"

蜜儿认定她就是孟小乔。只有孟小乔打喷嚏才是这样的，要"阿"两下才打得出来。

蜜儿一直陪伴在孟小乔的

身边。她也在寻找机会现出身来，与孟小乔相见。可是，这个机会一直到天黑都没有。孟小乔很忙，几乎没有空闲的时候，更没有属于自己的时间和空间。

到了下晚课的时候，蜜儿想再不现身给孟小乔看，今天就没有机会了。

钟楼是孟小乔回寝室必经的地方。

蜜儿在孟小乔快走近钟楼的时候，现出身来。她怕被别的学生看见，只能时隐时现。

蜜儿一会儿把伞打开，一会儿把伞关上。幸好是晚上，不然的话，那些脚步匆匆的学生们还是会发现，钟楼周围怎么会有紫色的云雾？

孟小乔似乎看见了蜜儿，而走在她
身边的庄梦娴却没有看见；庄梦娴看
见蜜儿的感觉也不那么确切，有些恍恍
惚惚的。

那天晚上，蜜儿相信，孟小乔不仅
看见了她，而且认出了她。她决定在第二
天晚上与孟小乔相见。

爱玩飞镖的校长先生
ài wán fēi biāo de xiào zhǎng xiān sheng

学习本应该是一件快乐的事情，学校是生产快
乐的地方。如果学习已变成一件不快乐的事情，那么
在学校里还会有快乐吗？

——蜜儿

一

蜜儿天天陪伴着孟小乔，连上课的
时候都陪着她，反正别人都看不见。
开始的时候，蜜儿还跟着孟小乔听

听课，听了几节课，实在听不下去。特别是

语文课，一篇好好的文章，被老师拆成

段，段拆成句，句拆成词，词拆成字，

拆得七零八落，然后慢慢地"咀嚼"。一节

课不够"嚼"，第二节课又来"嚼"；两节课

不够"嚼"，第三节课又来"嚼"……一直

"嚼"到像嚼了几天的泡泡糖，一点味道

都没有了，这篇课文才算教完。

这样的语文课极具催眠效果。学生

们要应付考试，必须不停地做笔记。蜜儿

不考试，她不需要做笔记，

所以她很快就被催睡着了。

蜜儿本来睡觉是不打

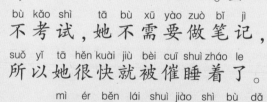

呼噜的，但因为这种语文

课的催眠效果太好，居然就打起了呼噜，而且越来越响，几乎压过了老师讲课的声音。

"谁在教室里睡觉？"

语文老师是个十分严肃的男老师，严肃得有点过分，平时难得见到他笑的。

学生们为了证明睡觉的不是自己，都把身子挺得直直的。孟小乔更是拼命地挺直，因为只有她知道，这呼噜是蜜儿打的。

蜜儿的呼噜声此起彼伏，很有节奏。

语文老师偏着头，仔细地听了听，这呼噜声确实就在教室里。他气得脸都变了形，声音变了调："我教书十几二十年，

从来没有哪个学生敢在我的课堂上睡
觉……"

语文老师说得没错，能够来红宫学
校教书的老师，都是出类拔萃的。比如他，
他是教毕业班教出名的，他教出来的学
生都会考试。这个学校的教学督监是费
了好大好大的劲，才把他从原来的学校挖
到红宫学校来的。

蜜儿睡得很香，
她换了个睡姿，呼噜
声便拐了一个弯儿，
像唱歌儿似的，学
生们都笑起来。

居然还笑？连一点

起码的是非观念都没有。语文老师急火攻心，"咚"的一声，倒在讲台上。

教室里乱了套，有同学叫校医去了。

校医来了，教学督监也来了，蜜儿也在这个时候醒来了。

教室里的呼噜声戛然而止。

校医说，语文老师是心肌梗塞，马上叫人抬到医院去了。

教学督监笔直地站在讲台上，足足有两分钟没有说话。教室里安静得让人喘不过气来。

教学督监也姓龙，她是龙校长的姑妈。虽然已经五十几岁了，可她脸上一丝皱纹都没有。

许多女生私下议论道，这是因为她从来不笑的原因。还有她眼睛小，单眼皮，远看像两颗小黑豆子镶在白纸一样的脸皮上。

龙督监的眼睛小是小，但是小而聚光。她的目光从每一个学生的脸上过了一遍，学生们都有脸被聚光灯照了一遍的感觉。

"你们的老师为什么会心肌梗塞？"

龙督监是难得的女低音。经常也有女生在私下议论说，她应该去唱流行歌曲，现在女低音的流行歌手很少很少。

"老师是被气病的。"班长站起来回答，"有人在教室里打呼噜。"

"谁打的？"

"不是我！"

"没有让你们齐声回答，这里不是幼儿园。"

学生们并没有想要齐声回答，这完全是异口同声。

龙督监面无表情，语气不紧不慢："关于打呼噜的问题，我对你们有两个希望：第一，希望打呼噜的人自己来向我承认；第二，希望没有打呼噜的人大胆地揭发打呼噜的人。"

下课了，孟小乔出了教室，蜜儿紧跟着也出了教室。

"今天的祸真是惹大了。"蜜儿说，"我不能再跟着你到教室里了。"

"蜜儿，不要离开我。"孟小乔说，"你原来可以到我们家去做保姆，现在，你也可以做老师呀！""做老师？"蜜儿心里一动，这倒挺有意思的。

蜜儿问孟小乔："你说，你喜欢一个什么样的老师？"

"年轻一点，漂亮一点，最好再浪漫一点。"孟小乔马上又补充说，"不过，龙督监好像不喜欢年轻漂亮的老师。"

蜜儿说了声"我知道了"，就离开了孟小乔。

èr

二

lóng xiào zhǎng xǐ huan wán fēi biāo wú lùn shì zài měi guó
龙校长喜欢玩飞镖，无论是在美国
de jiā hái shi zài zhōng guó de jiā tā zài měi yī jiān fáng li
的家，还是在中国的家，他在每一间房里
dōu guà zhe fēi biāo de bǎ zi
都挂着飞镖的靶子。

zài hóng gōng xué xiào de xiào zhǎng bàn gōng shì li zhèng
在红宫学校的校长办公室里，正
duì zhe lóng xiào zhǎng bàn gōng zhuō de nà miàn qiáng shang guà zhe
对着龙校长办公桌的那面墙上，挂着
yī fú shì jiè míng huà dá fēn qí de méng nà lì shā de
一幅世界名画，达·芬奇的《蒙娜丽莎的
wēi xiào méng nà lì shā de hòu miàn jiù shì yī miàn fēi biāo
微笑》，蒙娜丽莎的后面，就是一面飞镖
de bǎ zi lóng xiào zhǎng suī rán shì hóng gōng xué xiào de yī xiào
的靶子。龙校长虽然是红宫学校的一校
zhī zhǎng tā bù shàng kè yòu bù xǐ huan kāi huì xué xiào li
之长，他不上课，又不喜欢开会，学校里
dà dà xiǎo xiǎo de shì qing dōu bèi tā gū mā lóng dū jiān lǎn le
大大小小的事情，都被他姑妈龙督监揽了
qù tā biàn chéng le xián rén yī gè dāng bàn gōng shì li zhǐ
去。他便成了闲人一个。当办公室里只

有他一个人的时候，他就会把"蒙娜丽莎"取下来，脱下西装，玩飞镖。

正玩在兴头上，有人敲门。

"这个老巫婆！"

不知从什么时候起，龙校长在只有一个人的时候，他总是叫龙督监是老巫婆。

龙校长赶紧去把"蒙娜丽莎"挂起来，然后一边穿衣服，一边叫"come in"。

外面的人一走进来，龙校长那还有一只没有插进衣袖里的手便不动了，眼睛也转不动了，就像电影定格。

"啊，不是巫婆，是——仙女……"

蜜儿一惊，怎么刚一现身，就被认出

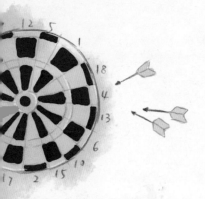

lái le
来了？

mì ér lā lā tā de pī jiān gù
蜜儿拉拉她的披肩，故

zuò zhèn jìng
作镇静。

xiān sheng nǐ zài shuō shén me
"先生，你在说什么？

wǒ bù míng bai
我不明白。"

ò duì bu qǐ lóng xiào zhǎng zhàn qǐ lái yíng jiē mì
"哦，对不起！"龙校长站起来迎接蜜

ér nǐ qǐng zuò
儿，"你请坐！"

mì ér gāng zuò xià pā de yī shēng méng nà lì
蜜儿刚坐下，"啪"的一声，"蒙娜丽

shā cóng qiáng shang diào le xià lái lù chū fēi biāo bǎ zi
莎"从墙上掉了下来，露出飞镖靶子，

shàng miàn hái chā zhe jǐ bǎ fēi biāo zài kàn lóng xiào zhǎng sōng kāi
上面还插着几把飞镖。再看龙校长松开

de lǐng jié hé méi yǒu kòu shàng de wài yī mì ér shén me dōu
的领结和没有扣上的外衣，蜜儿什么都

míng bai le tā zhǐ shì mǐn zuǐ yī xiào
明白了。她只是抿嘴一笑。

lóng xiào zhǎng huāng huāng zhāng zhāng de qù bǎ huà guà qǐ
龙校长慌慌张张地去把画挂起

lái gāng guà shàng méng nà lì shā yòu diào le xià lái
来。刚挂上，"蒙娜丽莎"又掉了下来。

蜜儿走过去，伸手把插在靶子上的
几把飞镖抽出来。龙校长再去挂，一挂就
挂上了。

龙校长有些狼狈，笑得就不是那么
自然了。

"请问小姐……"

"我叫蜜儿。我希望能在这所学校里
做老师。"

蜜儿这样直奔主题，使
龙校长有些措手不及。这
个学校聘用教
师的事情，从
来都是龙督监
在管，他没有

插过手。但他不打算把蜜儿推给他姑妈，他觉得蜜儿身上有一种很特别的吸引力，到底是什么，他现在不能确定。也许就是这种"不确定"的原因，龙校长决定把蜜儿留下来。

"请问蜜儿小姐，你能告诉我，你从哪儿来吗？"

这是蜜儿不愿回答的问题。

蜜儿漫不经心地玩弄着她手上那把紫色的伞，龙校长觉得很奇怪，天又没下雨，也不是烈日炎炎的夏天，她为什么带着伞？不过那把伞确实很漂亮，质地优良，做工精细，是伞中精品。

蜜儿突然撑开了那把伞，向左旋转

qǐ lái
起来。

　　lóng xiào zhǎng zhǐ gǎn dào yǎn qián shēng téng qǐ yī piàn zǐ
　　龙校长只感到眼前升腾起一片紫
sè de yún wù zuò zài tā miàn qián de mì ér bù jiàn le tā
色的云雾,坐在他面前的蜜儿不见了,他
yǐ wéi tā bèi nà bǎ xuán zhuǎn de sǎn zhuàn hūn le tóu
以为他被那把旋转的伞转昏了头。

　　qí shí sǎn chēng kāi de nà yī shùn jiān mì ér jiù yǐn
　　其实,伞撑开的那一瞬间,蜜儿就隐
shēn le tā bǎ sǎn xiàng zuǒ xuán zhuǎn biàn bǎ lóng xiào zhǎng tuì
身了。她把伞向左旋转,便把龙校长退
huí dào guò qù de shí guāng li tā kàn jiàn tā cóng měi guó dào
回到过去的时光里:她看见他从美国到
zhè lǐ lái tóu zī jiàn xué xiào hái kàn jiàn tā zài yīng guó de niú
这里来投资建学校,还看见他在英国的牛
jīn dà xué liú guo xué hái kàn jiàn tā zài zhōng
津大学留过学,还看见他在中
xué li dǎ gǎn lǎn qiú dǎ bàng qiú hái kàn
学里打橄榄球、打棒球,还看
jiàn
见……

　　mì ér bǎ sǎn shōu qǐ lái tā yòu zhēn zhēn qiè qiè de
　　蜜儿把伞收起来,她又真真切切地
zuò zài le lóng xiào zhǎng de miàn qián
坐在了龙校长的面前。

　　xiǎo jiě wèi shén me bù huí dá wǒ de wèn tí
　　"小姐,为什么不回答我的问题?"

蜜儿停止玩弄伞，答非所问："先生，我知道你从美国来！"

龙校长不以为然地耸耸肩，几乎所有的人都知道他从美国来，这不是什么秘密。

蜜儿接着往下说。

"我还知道，您在英国待过很长一段时间，在牛津大学读的大学。"

在这里，很少有人知道龙校长在英国的牛津大学读过书。

"你在英国见过我？"

"不，我从来没有见过你。"蜜儿说，"这座教学大楼与白金汉宫，校园里的钟楼与大笨钟，你

的大英情结是显而易见的。还有图书馆，几乎就是牛津大学雷德克利夫图书馆的一个缩小版……"

听到这里，龙校长觉得他眼前这位小姐，更加让人捉摸不透了。

"小姐见多识广，为什么想到这里来做老师？是因为这学校漂亮吗？"

"这所学校是很漂亮，学生们在这样的学校读书，应该是快乐的。可是，校长先生，您以为您学校里的学生，他们都快乐吗？"

"快乐？"

龙校长仿佛被电击了一下。这许久以来，他一直有个想不明白的问题。现在有点眉目了。龙校长人不在学校的时候，想起他的红宫学校，他会觉得完美得无可挑剔。可是一走进学校，一看到那些学生，他又总觉得缺了点什么。龙校长是个追求完美的人，如果他知道缺什么的话，花多少钱他都要把它补上。问题是龙校长不知道缺什么。现在听蜜儿这么一说，他茅塞顿开——红宫学校缺的就是快乐。

"蜜儿小姐，你说红宫学校什么都不缺，为什么单单就缺快乐呢？"

龙校长像学生请教老师那样，恭恭敬敬地请教蜜儿。

蜜儿也不谦虚，她说："学习嘛，本来

应该是一件快乐的事情。但是在红宫学校，学习变成了一件不快乐的事情，那么，在这里还会有快乐吗？"

"对，你说得对！"龙校长的眼睛眯了起来，"这都怪那个老巫婆……"

这时，门外响起三声沉重的敲门声。

"就是她！"龙校长向蜜儿做了一个鬼脸，随后叫了声："请进！"

龙督监挺着腰板走进来，她只看了蜜儿一眼，脸上没有任何表情。其实，她心里一下子冒出好多疑

问：她是什么人？她为什么在校长办公室里？她是怎么进来的？她和校长在说什么……

龙督监对龙校长说："一个老师在讲台上病倒了，现在已经送进医院。这是一位十分优秀的老师。"

龙校长问："怎么病倒的？"

"被气病的。"龙督监的脸上还是没有什么表情，"他上课的时候，有人打呼噜……"

"这样的老师还算优秀？"龙校长打断龙督监的话，指了指蜜儿，"我刚聘用一位老师，正好去顶那位病了的老师。"

龙督监又看了蜜儿一眼，脸上还是

没有任何表情。其实,她现在心情复杂,她感到校长正在削弱她的权力,她还感到了蜜儿对她的威胁。她冷冷地对蜜儿说:"跟我来吧,不过你得先换上学校统一的制服。"

"别换!"龙校长说,"她就穿这样的衣服,挺好的。"

龙校长喜欢蜜儿围着披巾,他觉得围着披巾的女人,有一种特别的韵味。

一个特别的葬礼

年纪小小的孩子，怎么会有那么多的不快乐？

"快乐"与"不快乐"完全看你怎么想。你这么想，可以是快乐的；你那么想，也可以是不快乐的。如果你想使自己成为快乐的人，你就可以使自己成为快乐的人。

——蜜儿

一

蜜儿出现在六年级班教室的时候，全

48

班同学，除了孟小乔，都以为这个人走错了地方。

蜜儿走上讲台，拉拉她的大披巾，开口讲道："你们的老师病了。从今天起，我就是你们的语文老师兼班主任。"

"有没有搞错哇？"

教室里骚动起来。同学们简直不敢相信自己的眼睛，在红宫学校这种校规森严的地方，居然有这种围着大披巾、带着伞进教室的老师？

蜜儿并不理会同学们对她的各种各样的反应，她给每个同学发了一张白纸。

"还不是老一套！"孟小乔的同桌杜迪生一副见惯不惊的样子，"出几道难

49

题给我们做,先给我们一个下马威。"

孟小乔敢肯定,蜜儿肯定不会出难题给他们做。发一张白纸给他们,究竟想干什么,她也不知道。

孟小乔说:"这个老师跟别的老师可不一样哦!"

杜迪生是个十分固执的人,动不动就要跟人打赌。现在就要跟孟小乔打赌,如果蜜儿出难题,孟小乔就把一样最心爱的东西输给他;如果蜜儿没有出难题,杜迪生就把他最心爱的一样东西输给孟小乔。

蜜儿发完最后一张白纸,问大家:"知道我要让你们

zài zhè zhāng bái zhǐ shang xiě shén me ma
在这张白纸上写什么吗？"

xǔ duō tóng xué shuō　shì yào tā men xiě　yī piān zuò wén
许多同学说，是要他们写一篇作文。

yě yǒu tóng xué shuō　shì yào tā men zuò　jǐ dào nán tí
也有同学说，是要他们做几道难题。

mì ér shuō　wǒ yào nǐ men zài zhè zhāng bái zhǐ shang
蜜儿说："我要你们在这张白纸上，

bǎ zì jǐ bù kuài lè de shì　yī yī de xiě chū lái
把自己不快乐的事，一一地写出来。"

mèng xiǎo qiáo dé yì de piǎo le dù dí shēng yī yǎn　tā
孟小乔得意地瞟了杜迪生一眼，她

yíng le
赢了。

yǒu tóng xué wèn　xiě jǐ jiàn　bù kuài lè　de shì
有同学问："写几件'不快乐'的事

qíng
情？"

mì ér shuō　yǒu jǐ jiàn xiě jǐ jiàn
蜜儿说："有几件写几件。"

yòu yǒu tóng xué wèn　rú guǒ yǒu hěn duō ne
又有同学问："如果有很多呢？"

dōu xiě shàng　mì ér yòu ná chū yī dá bái zhǐ
"都写上。"蜜儿又拿出一沓白纸，

rú guǒ zhǐ bù gòu　zhè lǐ hái yǒu
"如果纸不够，这里还有。"

tóng xué men mái tóu xiě qǐ lái
同学们埋头写起来。

教室里安静极了，只听得见一片"沙沙"的写字声。

蜜儿把挂在胸前的眼镜戴起来。透过万能眼镜，她能看见每个学生都写了些什么。

孟小乔写道：我的成绩不能进入前十名，爸爸妈妈对我很不满意。

杜迪生写道：每天把时间用在做功课上，我不得不放弃我最擅长的围棋。

庄梦娴写道：我无法改变别人对我的看法，比如他们把我看作差生；他们把我看作假小子。

倪倩倩写道：我怕别人超过我，永远要争第一，其实很累。

hé fāng zhōu xiě dào wǒ méi yǒu hǎo péng you wǒ hěn
何方舟写道：我没有好朋友，我很

gū dú
孤独。

nà ge quán bān gè zi zuì gāo de nán shēng mài tián xiě
那个全班个子最高的男生麦田写

dào wǒ tiān shēng jiù shì dǎ lán qiú de liào yě xǔ jiù shì
道：我天生就是打篮球的料，也许就是

zhōng guó wèi lái de qiáo dān kě shì wǒ zài hóng gōng xué xiào
中国未来的乔丹，可是我在红宫学校，

yī cì lán qiú yě méi dǎ guo
一次篮球也没打过。

……

dà yuē xiě le shí
大约写了十

jǐ fēn zhōng quán bān tóng
几分钟，全班同

xué dōu xiě wán le mì ér
学都写完了。蜜儿

ràng tā men bǎ xiě hǎo de
让他们把写好的

zhǐ zhé chéng yī gè xiǎo fāng
纸折成一个小方

kuài sāi dào tā jǔ zài shǒu
块，塞到她举在手

zhōng de yī gè hēi qī xiá
中的一个黑漆匣

53

zǐ lǐ
子里。

tóng xué men bù zhī dào mì ér jiū jìng yào gàn shén me   zhǐ
同学们不知道蜜儿究竟要干什么，只

jué de tǐng hǎo wán de   xiàng zài wán yī gè hǎo wán de yóu xì
觉得挺好玩的，像在玩一个好玩的游戏。

tóng xué men bǎ xiě zhe   bù kuài lè de zhǐ zhé chéng xiǎo fāng
同学们把写着"不快乐"的纸折成小方

kuài wò zài shǒu xīn li pái zhe duì wu yī gè yī gè de bǎ
块，握在手心里，排着队伍，一个一个地把

zhé chéng xiǎo fāng kuài de zhǐ sāi jìn hēi xiá zi li
折成小方块的纸塞进黑匣子里。

zhè shì yī gè hēi sè de guān cai   mì ér shuāng shǒu
"这是一个黑色的棺材。"蜜儿双手

duān zhe nà ge cháng fāng tǐ de hēi xiá zi   lǐ miàn zhuāng zhe
端着那个长方体的黑匣子，"里面装着

nǐ men   bù kuài lè de shì xiàn zài   wǒ men qù wèi tā men
你们'不快乐'的事。现在，我们去为它们

jǔ xíng yī gè zàng lǐ
举行一个葬礼。"

èr
二

jǔ xíng yī gè zàng lǐ zhè tài lí qí le
举行一个葬礼，这太离奇了。

好奇本是孩子们的天性。但是红宫学校的学生们，由于学习上的压力，已经失去了对任何事情的好奇心。现在，好奇心又回到了他们身上。

一些同学扛着锄头，一些同学扛着铁锹，他们也不知道这些东西是从什么地方冒出来的。本来，教室里是没有这些东西的，当蜜儿说"举行一个葬礼"时，这些东西就出现了。

他们跟着蜜儿下了楼，正遇上从外面进来的龙督监。

龙督监拦住同学们："你们这是要干什么去？"

同学们都看着蜜儿。

"我们要去举行一个葬礼。"

龙督监以为她的耳朵听错了，厉声道："你再说一遍！"

蜜儿不紧不慢，又说了一遍："我们要去举行一个葬礼。"

这一次，龙督监听得很清楚。她从牙缝里挤出三个字："你疯了！"

龙督监脸色铁青，好几个胆小的女生都不敢看她的脸。

"你们马上给我回教室去！"

蜜儿对龙督监说："请你不要干扰我们上课。"

"你们这叫上课？好，你们等着，我去找校长！"

红宫学校的事情，龙督监从来不会说去找校长，她相信她自己能处理好一切事情。但这件事情涉及到蜜儿，蜜儿是校长重用的人，她就是要让校长来看看，他重用的人，是多么的疯狂，多么的不可思议。

龙督监快步如飞，闯进了校长办公室。

"胡闹，真是胡闹！"龙督监气昏了头，竟忘记了自己的身份，她用手指着龙校长，"你去看看那个蜜儿在做什么，我亲爱的侄儿！"

如果龙督监叫龙校长"我亲爱的侄儿"，就是她对龙校长极其

bù mǎn de shí hou le
不满的时候了。

lóng xiào zhǎng gēn zhe lóng dū jiān lái dào lóu xià kàn jiàn
龙校长跟着龙督监来到楼下，看见

mì ér hé liù nián jí bān de xué sheng men dōu zhàn zài lóu kǒu nà
蜜儿和六年级班的学生们都站在楼口那

lǐ mì ér shuāng shǒu pěng zhe yī gè hēi xiá zi yǒu jǐ gè
里。蜜儿双手捧着一个黑匣子，有几个

tóng xué káng zhe chú tou hé tiě qiāo
同学扛着锄头和铁锹。

nǐ kàn jiàn méi yǒu nǐ zhī dào tā men yào qù gàn shén
"你看见没有？你知道他们要去干什

me ma
么吗？"

lóng xiào zhǎng shuāng shǒu yī tān jiān bǎng yī sǒng biǎo shì
龙校长双手一摊，肩膀一耸，表示

tā bù zhī dào bù guò lóng xiào zhǎng yǒu zhe hé xiǎo hái zi yī
他不知道。不过，龙校长有着和小孩子一

yàng de hào qí xīn tā hěn xiǎng zhī dào tā men yào gàn shén me
样的好奇心，他很想知道他们要干什么。

lóng dū jiān bā bu de mì ér zài lóng xiào zhǎng miàn qián chū
龙督监巴不得蜜儿在龙校长面前出

chǒu
丑。

mì ér xiàn zài xiào zhǎng zài zhè lǐ nǐ lái gào su
"蜜儿，现在校长在这里，你来告诉

tā nǐ yào dài xué sheng gàn shén me qù
他，你要带学生干什么去？"

"我要带学生去举行一个葬礼。"蜜儿看着龙校长，"这只是我的一个教学内容，有什么不妥吗？"

"我看没什么不妥。"

谁都不相信这话是校长说的。

同学们忘乎所以地欢呼起来。这是他们进入红宫学校以来，第一次忘乎所以。

"你……你们……"

龙督监看看龙校长，又看看学生们，已经气得说不出话来。

"你忙你的去吧！"龙校长拍拍龙督

jiān de jiān bǎng　　　wǒ gēn zhe tā men　　yī qiè hòu guǒ yóu wǒ
监 的 肩 膀 ，"我 跟 着 他 们 ，一 切 后 果 由 我
lái chéng dān
来 承 担。"

sān
三

xué sheng men pái zhe duì wu　　mì ér zǒu zài qián miàn　　lóng
学 生 们 排 着 队 伍 ，蜜 儿 走 在 前 面 ，龙
xiào zhǎng zǒu zài hòu miàn　　xué sheng men hé lóng xiào zhǎng bù zhī
校 长 走 在 后 面。学 生 们 和 龙 校 长 不 知
dào mì ér yào bǎ tā men dài dào shén me dì fang qù
道 蜜 儿 要 把 他 们 带 到 什 么 地 方 去。

jīng guò yī tiáo cháng cháng de lín yīn dào　　lái dào zhōng lóu
经 过 一 条 长 长 的 林 荫 道 ，来 到 钟 楼
nà lǐ　　xiàng yòu zǒu dào jìn tóu shì xué sheng men de sù shè lóu
那 里。向 右 走 到 尽 头 是 学 生 们 的 宿 舍 楼；
xiàng zuǒ zǒu dào jìn tóu　　shì piàn huāng cǎo dì　　yě cǎo zhǎng de
向 左 走 到 尽 头 ，是 片 荒 草 地 ，野 草 长 得
yǒu yī rén duō gāo　　zhè kuài huāng dì　　lóng xiào zhǎng hái méi yǒu
有 一 人 多 高。这 块 荒 地 ，龙 校 长 还 没 有
xiǎng hǎo dào dǐ pài shén me yòng chǎng　　jiù yòng zhuān qiáng zàn shí
想 好 到 底 派 什 么 用 场 ，就 用 砖 墙 暂 时
quān le qǐ lái
圈 了 起 来。

mì ér dài zhe tóng xué men xiàng zuǒ zǒu　　dōu kuài zǒu dào
蜜儿带着同学们向左走，都快走到

qiáng nà lǐ le　　tā hái shi yī zhí xiàng qián zǒu　　yǎn kàn zhe jiù
墙那里了，她还是一直向前走。眼看着就

yào zhuàng zháo qiáng le　　qiáng xiàn chū yī gè qiáng dòng　　mì ér
要撞着墙了，墙现出一个墙洞，蜜儿

jìn qù le　　gēn zài hòu miàn de tóng xué men yě dōu jìn qù le
进去了，跟在后面的同学们也都进去了。

dāng zuì hòu yī gè tóng xué jìn qù hòu　　qiáng yòu fēng shàng le
当最后一个同学进去后，墙又封上了，

bǎ lóng xiào zhǎng fēng zài le wài miàn
把龙校长封在了外面。

xìng hǎo qiáng wài miàn yǒu yī kē dà shù
幸好墙外面有一棵大树，

lóng xiào zhǎng pá shàng qù　　kě yǐ kàn dào qiáng
龙校长爬上去，可以看到墙

lǐ miàn de qíng xing
里面的情形。

mì ér ràng dà jiā zhàn chéng yī gè yuán
蜜儿让大家站成一个圆

quān　　tā pěng zhe nà ge hēi xiá zi　　zǒu dào
圈，她捧着那个黑匣子，走到

yuán quān de zhōng yāng lái
圆圈的中央来。

tóng xué men　　wǒ shǒu zhōng zhè ge hēi
"同学们，我手中这个黑

xiá zi　　lǐ miàn zhuāng zhe wǒ men quán bān měi
匣子，里面装着我们全班每

一个同学不快乐的事情。现在，我们要为

这许许多多的不快乐，举行一个葬礼，把

它们彻底地埋葬。"

因为他们在举行一个葬礼，一个有

关自己的、特别的葬礼，现在没有谁会认

为这是一个游戏。

开始挖坑了。只有几把锄头几把锹，

大家轮流挖，轮流铲，他们都要亲手埋葬

自己的"不快乐"。

一个三尺深的坑挖好了，蜜儿将黑

匣子放进坑里，又从衣兜里掏出几块折

成小方块的纸来，一一地展开让大家看。

同学们看见这是这几周来的名次表。蜜

儿把这几张名次表都塞进黑匣子里，和

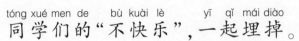

tóng xué men de bù kuài lè yī qǐ mái diào
同学们的"不快乐",一起埋掉。

kēng tián píng le mì ér yòng sǎn jiān yī zhǐ duǒ zài qiáng
坑填平了,蜜儿用伞尖一指,躲在墙

wài shù shang de lóng xiào zhǎng kàn jiàn yī gǔ qīng yān cóng kēng li
外树上的龙校长看见,一股青烟从坑里

mào chū lái hěn kuài de xiāo shī le
冒出来,很快地消失了。

hǎo la mì ér de liǎn shang lù chū xiào róng wǒ
"好啦!"蜜儿的脸上露出笑容,"我

men de bù kuài lè yǐ jīng sǐ le huà zuò yī lǚ qīng yān xiāo
们的不快乐已经死了,化作一缕青烟,消

shī de wú yǐng wú zōng wǒ xī wàng nǐ men měi gè rén dōu kuài
失得无影无踪。我希望你们每个人都快

lè wǒ xī wàng nǐ men de měi yī tiān dōu kuài lè
乐!我希望你们的每一天都快乐!"

hái zi men zhàn zài nà lǐ xīn li gǎn dòng zhe xǔ duō
孩子们站在那里,心里感动着。许多

lǎo shī dōu duì tā men shuō guo xī wàng wǒ xī wàng nǐ zuò yī
老师都对他们说过希望:"我希望你做一

gè hǎo hái zi wǒ xī wàng nǐ bǎ xué xí zhuā jǐn yī
个好孩子!""我希望你把学习抓紧一

diǎn wǒ xī wàng nǐ xià cì kǎo shì kǎo hǎo
点!""我希望你下次考试考好

diǎn wǒ xī wàng tā men yǒu wú
点!""我希望……"他们有无

shù gè xī wàng kě shì cóng lái méi yǒu yī
数个希望,可是,从来没有一

个老师对他们说过："我希望你们每一个人都快乐！我希望你们的每一天都快乐！"

这些看起来已经被做不完的功课和没完没了的考试折磨得有些麻木的孩子们，其实是很容易被感动的。

龙校长心潮起伏。他参加过各种各样的葬礼，从来没有哪一个葬礼像今天的这个葬礼，令他那么感慨。身为红宫学校的校长，他很惭愧，他把所有的精力都放在了学校的建设上，几乎从来不去想学生们在这里是不是"快乐"的问题。

龙校长庆幸他遇到了蜜儿，这个不知来自何方、神秘又神奇的蜜儿，现在正一步一步地在帮他实现他的理想。

最美的一课

生活是美丽的。能发现这种美丽，感受这种美丽的人，也是美丽的。如果孩子们从小就知道享受生活中的美丽，那么，他今后一定会是一个幸福的人，一个知道感激的人，感激生活给了他（她）这么多的美好。

——蜜儿

一

晚上七点上晚课，这是红宫学校雷

打不动的一个规定。七点到十点这段时间，也是龙督监最活跃的时候。她像黑色的幽灵（她从来只穿黑色的衣服），在教学楼里游来荡去。每间教室的门上，都安装着一个"猫眼"。这个"猫眼"跟一般的猫眼不一样。一般的猫眼是从房子里看外面，这里的"猫眼"是从外面看教室里面。龙督监经常像一只黑蜘蛛趴在教室门上，看教室里面的情形。当初在教室门上安装猫眼时，龙校长是坚决反对的，但是龙督监的态度也很强硬，她有许多许多要装"猫眼"的理由。尽管这些理由对从美国来的龙校长来说，纯属无稽之谈，而且不可理喻，但那个时候，他还刚

樱桃园·杨红樱注音童书

到这里，他还牢记着父亲对他的叮嘱：一定要虚心地听取他姑妈（就是龙督监）的意见，因为她是经验丰富的教育专家。在教室门上安"猫眼"是龙校长对龙督监做的第一次让步。然而，有了这第一次，就有第二次，第三次……龙督监得寸进尺，她压根儿就没有把她这个侄儿放在眼里。

在她眼里，龙校长不过是一个从美国来的花花公子，一个根本不懂教育，却拿着他老爸的一大笔钱来办学校的门外汉。

不过，龙督监又打心眼里喜欢龙校长是个花花公子，喜欢龙校长是教育上的门外汉，他这个校长不过有名无实。从红宫学校开办的第一天，红宫学校就是按照龙督监的想法在办，学校里大大小小的事，都是她一手抓。龙校长反而成了红宫学校最清闲的闲人，他想管事，他也想做点事，可是所有的事都让他姑妈龙督监管完了，做完了，根本就没他什么事。龙校长也乐得轻松，每天一早就开着他的白色宝马车出去，打高尔夫球，打保龄球，上茶楼，听音乐会，日子过得滋滋润润，比在美国还滋润。

可是，在最近的一些日子里，这一切都变了。龙校长不再每天都开着宝马车出去了，他整天整天地待在红宫学校里。他自己

樱桃园·杨红樱注音童书

心里很清楚，他的变化，是因为他遇见了蜜儿，一个在他看起来十分神秘的女人。她的出现，她的年龄，她的衣着打扮，她的那把紫色伞，她说的那些话，她和学生们在一起做的那些不可思议的事……蜜儿所有的一切，对龙校长来说，都是一个谜，一个他非常想解开的谜。那天，蜜儿带学生们在荒草地上举行的那个让他激动不已的葬礼，还有那个葬礼之后，他又发现在埋葬"不快乐"的那个坑上，突然长出的一棵大树，繁茂的枝叶间藏着三十只不同颜色的纸鸟……

龙校长在办公室踱着步，他已经踱了一天的步了。这一天他没在办公室里玩

飞镖，因为他这一天都在想蜜儿，只要他一想到蜜儿，就会想到未来的红宫学校——那就是他所想要办的一所学校。

龙校长正沉浸在未来的遐想中，一脸怒气的龙督监破门而入。一看她这个样子，龙校长有一种预感：准是出事了，而且这事跟蜜儿有关。因为只有跟蜜儿有关的事，他亲爱的姑妈才会气成这个样子。

"亲爱的姑妈，什么事情使你这么生气呀？"

只要跟蜜儿有关的事情，龙校长就觉得特别好玩，他的心情就会特别好。心情一好，他就会称呼他并不那么喜欢的龙督监"亲爱的姑妈"。

"走,你跟我走!"

龙督监现在真的是气急败坏,已经不知上下,不知道龙校长是上,她龙督监是下。她拉起龙校长就走,来到六年级班的教室门口。

龙督监指着教室门上的"猫眼":"你

自己看看！"

龙校长不得不趴在教室门上，眯起一只眼睛看里面——教室里空空的，一个人都没有。

"今天应该是蜜儿上六年级班的晚课。"龙督监看着龙校长说，她的目光有些阴阳怪气的，"她来到我们红宫学校才几天啊，就接二连三地出了这么多事情。这一次，一定要严肃处理。"

龙校长对龙督监说："从今天开始，凡是有关蜜儿的事情，你都不要管了，免得你生气。她的事，都由我来处理。"

龙校长说完，把龙督监晾在那里，迈开大步走出了教学楼。

èr

二

龙校长开上他的白色宝马车，向校外驶去。

在校门口，龙校长问守门的保安："六年级班的学生有没有出去过？"

"刚出去一会儿。"保安答道，"一个新女老师带着他们朝那边走的。"

龙校长一轰油门，朝保安指的方向冲去。

车没开出去多远，龙校长就看见了蜜儿他们。

蜜儿走在前面，一只

手拿着那把紫色的伞，一只手提着她的一双鞋，赤脚走在田埂上。走在后面的男生女生，也都手上提着一双鞋，赤脚走在田埂上。

看他们蹦蹦跳跳的样子，赤脚走在田埂上一定很开心，很好玩。

龙校长也想赤脚走在田埂上。龙校长把车开进田里，田里的庄稼都收割了，他把车停在草垛中间。

龙校长从车上下来，他也把皮鞋脱了，提在手上，赤脚走在田埂上。

龙校长的两只脚、十个脚指头从老人头皮鞋里解放出来，舒舒展展地踩在还散发着太阳余温的泥土上，感觉一下

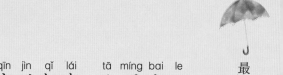

子跟周围的大自然亲近起来。他明白了，蜜儿为什么要打赤脚，同学们为什么要打赤脚。

在一座弯弯的小桥旁，蜜儿和同学们不再往前走了。龙校长悄悄地跟了过去，桥头上有几丛褐红色的芦苇，正好可以掩藏他。

同学们分散开来，男生们大都赤脚下了水，在小河里摸起螃蟹来；女生们有的在田边采蓝色的雏菊花，有的在小河边折芦苇。

蜜儿站在桥头上，她在看晚霞。天边有一抹亮丽的晚霞，之所以亮丽，因为这样的晚霞是由各种各样的红来涂抹的。

夕阳正一点一点西沉，晚霞的色彩更加丰富，更加活跃，而且在急急地变化着。

"你们说——"蜜儿大声地问同学们，"这晚霞里有多少种红？"

摸螃蟹的不摸了，采雏菊花的不采了，折芦苇的不折了，他们都抬头看天边的晚霞，然后七嘴八舌地说开了。

"有火红。"

"有橘子红。"

"有桃花红。"

"有鸭蛋黄红。"

"有虾子红。"

"有金鱼红。"

yǒu zǐ hóng
"有紫红。"

yǒu zhū hóng
"有朱红。"

yǒu yān zhi hóng
"有胭脂红。"

yǒu xiān hóng
"有鲜红。"

yǒu mǔ dan hóng
"有牡丹红。"

yǒu yīng táo hóng
"有樱桃红。"

yǒu píng guǒ hóng
"有苹果红。"

yǒu fēng yè hóng
"有枫叶红。"

yǒu dàn fěn hóng
"有淡粉红。"

……

cáng zài lú wěi li de lóng xiào zhǎng　yī biān tīng　yī biān
藏在芦苇里的龙校长，一边听，一边

gǎn tàn　tā zhǎng zhè me dà　zhè hái shi dì yī cì tīng shuō yǒu
感叹，他长这么大，这还是第一次听说有

zhè me duō de　hóng　tā gǎn tàn hái zi men xiǎo xiǎo de nián
这么多的"红"。他感叹孩子们小小的年

jì　jìng yǒu zhè me fēng fù de cí huì　kě shì　zhè xiē xíng
纪，竟有这么丰富的词汇，可是，这些形

象的、鲜活的语言，为什么在课堂上，在他们的作文上却找不到呢？

在晚霞的映照下，竹林里一缕炊烟正袅袅升起。在蜜儿看来，这炊烟正是这傍晚的乡村风景中最精彩的一笔，最富动感的一笔。可是，这些城市长大的孩子，几乎没有谁知道这是炊烟，更不用说欣赏了。

"这是工业污染。"

"不，这是炊烟。"蜜儿告诉他们，"这是农家做饭烧的柴火。"

"为什么要用柴火做饭？"许多同学提出疑问，"他们为什么不烧天然气？"

还有许多同学附和道："如果没有天然气，烧液化气罐也比烧柴火强呀！"

他们不知道炊烟，会不会不知道牧童呢？蜜儿抿嘴一笑。她握着伞，伞尖向小河边一指，小河边出现了一头水牛，一个小男孩正坐在牛背上吹竹笛。笛声悠扬，而且旋律十分欢快。

孩子们见到这牧童，果然是既陌生又稀奇。他们都问这孩子："为什么不骑马，要骑牛？"

"骑在这牛背上，你不嫌它走得慢吗？"

"嘿！小哥们儿！"麦田对那个骑在牛背上的小牧童说，"你下来，让我们来骑一骑。以后你到了城里，我请你到游乐场去玩个够！"

小牧童从牛背上跳下来。

麦田跳了几下，都没有跳上牛背。后来还是几个男生把他抬上了牛背。刚坐在牛背上，老水牛"哞"地叫了一声，向前没走几步，麦田就从牛背上掉了下来，在地上摔了个四脚朝天。

"哈哈哈！"

同学们手舞足蹈！有的还在地上打滚、翻跟斗，他们好久都没有这样放肆过了。

"我来！"

樱桃园·杨红樱注音童书

"我来！我来！"

男生们都争着要上，还有几个胆大的女生也想上。

李里上去了，被摔了个嘴啃泥。

钱丰又上去，老水牛走了十来步，他也没有掉下来，正当他扬扬得意的时候，老水牛走下一个坡，钱丰身子朝下一栽，也栽下地来。

"嘿，真笨！"

藏在芦苇丛里的龙校长早就按捺不住了。他本来就是个爱玩的人，他骑过马，骑过骆驼，还没有骑过牛呢！他哪里肯放过这骑牛的机会？

"我来！我来！"

龙校长提着老人头皮鞋，打着赤脚从芦苇丛里钻出来，一路叫着朝老水牛跑去。

大家一看是校长，一个个都目瞪口呆：他是从哪里冒出来的？怎么跟他们一样，也打着赤脚？

蜜儿也在桥上看见了龙校长，她只是抿嘴一笑。

在玩心的驱使下，龙校长完全忘记了自己校长的身份，也不管什么风度不风度了，在男生们的帮助下，爬上了老水牛的背。

龙校长毕竟是龙校长，他稳稳地坐

在老水牛的背上。

老水牛驮着龙校长向小河里走去。

老水牛浸在水中，龙校长的裤子都湿透了，可是他觉得很好玩。

"你们看，我像一个牧童吗？"

"像！"

桥上的、田边的、河旁的同学们都朝龙校长大声喊道。这时候的龙校长已经不是校长，是和他们一样的、一个贪玩的大男孩。

"牧童是要吹竹笛的。嘿，小牧童，把你的竹笛借给我吹吹，行吗？"

站在河边的小牧童把手上的竹笛扔过去，龙校长单手接住了，横在嘴边就吹起来。

龙校长小时候学过长笛，他在美国读中学时，还是学校管弦乐队的呢。

龙校长吹得脸红脖子粗，同学们都拍手叫好，蜜儿也在桥头上向龙校长挥手。

龙校长有些忘乎所以，越吹越高兴。老水牛听得高兴，就在水里踏起舞步来，结果，龙校长没坐稳，就掉进了水里。

蜜儿从桥头上跑下来，一直跑进河里。她走在水面上，就像走在平地上一样。岸边的同学们都以为蜜儿会轻功，这只是他们在金庸的武侠电影里才能看到的精彩镜头。只见蜜儿走到龙校长跟前，撑开紫色的伞，老水牛不见了，小牧童也不见了，龙校长却坐进了伞里，像坐在一个盆里。蜜儿把弯弯的伞钩挎在手臂上，如挎篮子一般，从河里走向岸边。

龙校长像个落水鸡，接连打了十几个喷嚏。他打喷嚏的样子很好玩儿，像公鸡打鸣，张着嘴巴，歪着脖子，"阿嚏！""阿嚏！"

同学们想笑，又不敢笑，只觉得这时候的龙校长很可爱。

sān
三

wǎn xiá tuì jìn　yè mù jiàng lín le
晚霞退尽，夜幕降临了。

dì shang yǒu le lù shui　mì ér ràng tóng xué men chuān
地上有了露水，蜜儿让同学们穿
shàng xié
上鞋。

lóng xiào zhǎng wèn mì ér　shì bù shì zhǔn bèi dài xué sheng
龙校长问蜜儿，是不是准备带学生
huí xué xiào
回学校？

mì ér kàn kàn yè kōng　shuō　yuè liang hái méi yǒu chū
蜜儿看看夜空，说："月亮还没有出
lái　zuì měi de yī kè hái méi shàng ne
来，最美的一课还没上呢！"

mì ér kàn zhe hún shēn shī tòu de lóng xiào zhǎng　pà tā
蜜儿看着浑身湿透的龙校长，怕他
zháo liáng　jiù qǐng tā xiān huí xué xiào
着凉，就请他先回学校。

lóng xiào zhǎng pǎo dào tā de bái sè bǎo mǎ chē páng　dàn
龙校长跑到他的白色宝马车旁，但
tā bìng bù dǎ suàn huí qù　tā tài xiǎng kàn mì ér shàng　zuì
他并不打算回去。他太想看蜜儿上"最

měi de yī kè　　dào dǐ shì yī táng shén me yàng de kè
美的一课"，到底是一堂什么样的课。

lóng xiào zhǎng cóng chē shang qǔ chū yī tiáo huā máo tǎn　 pī
龙校长从车上取出一条花毛毯，披

zài shēn shang　　yòu huí dào xiǎo qiáo nà ge dì fang
在身上，又回到小桥那个地方。

tóng xué men yī pái yī pái de zuò zài xiǎo gǒng qiáo de shí
同学们一排一排地坐在小拱桥的石

jiē shang
阶上。

dài zhe ní tǔ qì xī de wǎn fēng chuī fú zài tóng xué men
带着泥土气息的晚风吹拂在同学们

de liǎn shang　 tián yě li de wā míng shēng cǐ qǐ bǐ fú　 gèng
的脸上，田野里的蛙鸣声此起彼伏，更

jiā hōng tuō chū zhè xiāng cūn zhī yè de níng jìng lái
加烘托出这乡村之夜的宁静来。

yuǎn fāng　 qīng lǎng de yè kōng liàng qǐ yī piàn yín huī　 yuè
远方，清朗的夜空亮起一片银辉。月

liang màn màn de shēng qǐ lái　 zài shù shāo shang lù chū bàn gè
亮慢慢地升起来，在树梢上露出半个

liǎn　 zài lù chū yuán yuán de liǎn　 zuì hòu　 yī gè dàn huáng sè
脸，再露出圆圆的脸。最后，一个淡黄色

de dà yuè liang xuán zài le yè kōng zhōng
的大月亮悬在了夜空中。

zhè ge dà yuè liang jiù hǎo xiàng xuán zài tóng xué men de tóu
这个大月亮就好像悬在同学们的头

dǐng shang　 tā men cóng lái méi yǒu lí yuè liang zhè me jìn guo
顶上，他们从来没有离月亮这么近过，

也从来没有这么近地看过月亮。

蜜儿问道："你们知道今晚的月亮，为什么这样大、这样圆吗？"

有同学不敢肯定地回答："今晚是不是中秋夜啊？"

这些一天到晚只知埋头读书的孩子们，真是两耳不闻窗外事，居然连这么重要的传统节日都忘记了。

谁都知道，中秋节是个思念的节日。在这圆圆的月亮下，孩子们的心中涌起浓浓的思念之情。这是他们第一次不在家过的中秋节，第一次不在爸爸妈妈身边过的中秋节。他们想爸爸，想妈妈，从来没有任何一个时候，像现在这么清楚地

意识到，他们是多么地爱他们的爸爸，爱
他们的妈妈。

思念是种很美丽的感觉。

蜜儿也在思念，她在思念天上的仙
人们。

龙校长也在思念，他在思念身在异
国他乡的父亲和母亲。其实，他虽然生在
美国，长在美国，但每年的中秋节，都是
他们家里最隆重的节日。"望月亮思故
乡"，龙校长有着深切的体会。可他现在
回到了故乡，身在与世隔绝的红宫学校
里，老师们教得紧张，同学们学得紧张，
这么一个美丽的、富有传统意义的节日
都忘记了。

皎洁的月光像朦胧的轻纱，从天上罩下来，一切都显得那么神秘，那么富有诗情画意。就连田野上那一个个的草垛子，也像是无数个穿着蓬蓬裙的小人儿，在温柔的月光下轻歌曼舞。

月光仿佛有神奇的魔力，可以把人变得美丽。你看——孩子们的脸在月光中变得纯洁；蜜儿的脸在月光中变得妩媚；龙校长的脸在月光中变得可爱。

"中秋节是要吃月饼的。"不知谁嘀咕了一句，"可惜我们今天没吃到月饼。"

"中秋节不吃月饼，这叫中秋节吗？"

蜜儿一转身，她身上的大披巾也随着飞舞起来。蜜儿再一转身，她手上提着撑开的紫色伞，伞里面装满了各种各样的月饼。

孩子们欢呼着去挑伞里面的月饼，有的喜欢吃豆沙馅的，有的喜欢吃火腿馅的，有的喜欢吃莲蓉馅的；最好玩的是龙校长，他身上披着花毛毯，挑了一个鸭蛋黄馅的月饼，吃得津津有味。

时间不早了，孩子们该回学校了。他们刚走进红宫学校的大门，晚课的下课铃声就响了。

校庆日特别活动

> 每个人都曾经做过小孩子，都是由小孩子长成大人的。
>
> ——蜜儿

一

　　再过三天，就是红宫学校开办一周年的日子。龙校长一心要举行一次盛大的庆祝活动，但他又不想流于形式，搞

成一般的庆祝活动。他想搞成一个十
分特别的、老师学生人人都开心、都满意
的活动。

龙校长召开全校的教师大会，让教
师们献计献策，怎样搞一个别开生面的
校庆活动。

全校的老师都集中在会议厅里。

尽管龙督监笑容可掬，鼓励的目光
在老师们的脸上一一停留，但老师们还
是无话可说。他们的脑袋里塞满了教案、
学生的作业、考试的卷子，哪里还有空闲
的地方来思考什么活动方案。

"蜜儿，你给我们想一个点子吧！"

见没人出来献计献策，龙督监点兵点

将，点到了蜜儿。

"还是听听学生们的意见吧！"蜜儿说，"说不定他们会有我们想象不到的好主意呢！"

大家都点头称是。

龙督监特别支持蜜儿的建议。她说孩子们的想象力和创造力是不可低估的，老师们要发动每一个学生，一起来献计献策。

蜜儿回到六年级班，给同学们一说，全班欢呼雀跃，一个个新鲜的点子从同学们的脑海里出来了。

苗壮壮是个瞌睡虫，从来没有睡够的时候。他第一个献计献策："学校的校庆日，应该让我们舒舒坦坦地睡一天觉。"

居然有三分之一的同学赞成苗壮壮的这个主意，"舒舒坦坦"地睡一天觉。每天早晨六点钟起床铃声响起的时候，确实是这些同学最痛苦的时刻。

还有一部分同学说，校庆日这一天，校园应该布置成一座大乐园，学生们在这一天里，想玩什么就玩什么……

不管怎么说，在校庆日这一天，睡和玩这两个点子都太一般了，没有创意，更没有形式感，毫无意义，同

学们图热闹，只是说说而已，很快就互相否定了。

"如果在这一天，爸爸妈妈能到学校里跟我们一起过校庆日就好了。"

班上最胆小的女生方萍，小声地在下面嘀咕道。

"有没有搞错哇？"听到方萍嘀咕的人群起而攻之，"跟爸爸妈妈在一起有什么好玩的？"

"没劲，真没劲！"

桑子兰异想天开："跟爸爸妈妈在一起玩也可以，让他们当孩子，我们当大人……"

同学们都笑桑子兰胡思乱想，异口

同声地说这是不可能的事情。

"没有不可能的事情。"孟小乔突然开口说道,"只要有蜜儿在,任何事情都是有可能的。"

大家把目光集中在蜜儿身上,回想起蜜儿来到六年级班后,发生的种种不可思议的事情,不得不承认孟小乔的话,不是没有道理的。

二

学校采纳了六年级班的活动创意,请学生的家长来学校,和自己的孩子一道,共同欢度红宫学校一周年的校庆日。

yī dà zǎo，jiā zhǎng jiù cóng chéng li gǎn lái le
一大早，家长就从城里赶来了。

hóng gōng xué xiào xǐ qì yáng yáng，guǎng bō li bō fàng zhe
红宫学校喜气洋洋，广播里播放着

jī dòng rén xīn de《huān lè sòng》，cǎi qí piāo piāo，dào chù shì
激动人心的《欢乐颂》，彩旗飘飘，到处是

xiān huā，dào chù shì qì qiú，dào chù yáng yì zhe jié rì de
鲜花，到处是气球，到处洋溢着节日的

qì fēn
气氛。

jiā zhǎng men zài xué xiào li，zhǎo bù dào zì jǐ de hái
家长们在学校里，找不到自己的孩

zi。yuán lái xué sheng men dōu jí zhōng zài tǐ yù guǎn li。hòu
子。原来学生们都集中在体育馆里。后

lái，jiā zhǎng men yě bèi jí zhōng zài zú qiú chǎng shang。zhì yú
来，家长们也被集中在足球场上。至于

zhè ge xiào qìng rì de huó dòng zěn me gǎo，duì jiā zhǎng hé xué
这个校庆日的活动怎么搞，对家长和学

sheng lái shuō，dōu shì yī gè mí，zhǐ zhī dào zài zhè yī tiān
生来说，都是一个谜，只知道在这一天

li，yǒu gè tè bié xíng dòng
里，有个特别行动。

qīn ài de tóng xué men！qīn ài de jiā zhǎng men……
"亲爱的同学们！亲爱的家长们……"

lóng xiào zhǎng zài guǎng bō li fā biǎo le rè qíng yáng yì
龙校长在广播里发表了热情洋溢

de yǎn shuō。zuì hòu，tā xuān bù——hóng gōng xué xiào zhōu nián
的演说。最后，他宣布——红宫学校周年

校庆活动现在开始！

谁也没有发现，隐身的蜜儿跑到足球

场上，向密密麻麻站了一地的家长们

撑开了她的紫色伞，并向左飞快地旋

转着。

紫色的云雾在人群里弥漫着，男家

zhǎng nǚ jiā zhǎng zài yī diǎn yī diǎn de biàn nián qīng　yòu yī diǎn
长 女 家 长 在 一 点 一 点 地 变 年 轻，又 一 点

yī diǎn de zài biàn xiǎo　biàn chéng hé zì jǐ de hái zi yī yàng
一 点 地 在 变 小，变 成 和 自 己 的 孩 子 一 样

nián jì
年 纪。

　　shéi yě méi yǒu fā xiàn　yǐn shēn de mì ér yòu pǎo dào xué
　　谁 也 没 有 发 现，隐 身 的 蜜 儿 又 跑 到 学

sheng jí zhōng de tǐ yù guǎn　xiàng xué sheng men chēng kāi le tā
生 集 中 的 体 育 馆，向 学 生 们 撑 开 了 她

de zǐ sè sǎn　bìng xiàng yòu fēi kuài de xuán zhuǎn zhe
的 紫 色 伞，并 向 右 飞 快 地 旋 转 着。

　　zǐ sè de yún wù zài rén qún li mí màn zhe　nán hái zi
　　紫 色 的 云 雾 在 人 群 里 弥 漫 着，男 孩 子

nǚ hái zi zài yī diǎn yī diǎn de zhǎng dà　yòu yī diǎn yī diǎn
女 孩 子 在 一 点 一 点 地 长 大，又 一 点 一 点

de biàn lǎo　biàn chéng gēn tā men de bà ba mā ma yī yàng de
地 变 老，变 成 跟 他 们 的 爸 爸 妈 妈 一 样 的

nián jì
年 纪。

　　yáng méi tǔ qì de xué sheng men cháo zú qiú chǎng pǎo qù
　　扬 眉 吐 气 的 学 生 们 朝 足 球 场 跑 去，

tā men pò bù jí dài de xiǎng kàn kàn biàn chéng le xiǎo hái zi de
他 们 迫 不 及 待 地 想 看 看 变 成 了 小 孩 子 的

bà ba mā ma shì shén me yàng zi
爸 爸 妈 妈 是 什 么 样 子。

　　mèng xiǎo qiáo méi fèi duō dà de jìn　jiù zhǎo dào le tā
　　孟 小 乔 没 费 多 大 的 劲，就 找 到 了 她

的爸爸。别人头发上的旋儿都长在头顶上或后脑勺上，她爸爸是长在前额的发际上，发丝像一朵盛开的菊花。作为大人，头发上的这个旋儿长得很不是地方。但作为一个小孩子，就是最出彩、最生动的部分，所有的顽皮，所有的可爱都体现在这个发旋儿上。

孟小乔爸爸的旁边，站着孟小乔的妈妈。她变得跟孟小乔一般大，胖乎乎的，是个甜甜蜜蜜、挺讨人喜欢的女孩子。不像现在做了妈妈，是个有点俗气的女人。

苗壮壮也很容易就找到了他的爸爸妈妈。他的爸爸有一对招风耳朵，变成跟苗壮壮一般大的男孩子后，那对招风耳朵就更招人注意了；苗壮壮的妈妈长着一个大圆脸，那张脸圆得比拿圆规画的圆还圆，一个成年女人有着这样一张圆脸是非常可笑的，但是变成小女孩后，这样的圆脸女孩就是乖女孩了。

庄梦娴的爸爸变成十二三岁的男孩子后，是个五大三粗的愣小子；她的妈妈剪着一头短发，乱七八糟的，像个假小子。可她的妈妈现在还经常嫌她不够淑女，一心想她做个娴静的女孩，这从给她取的名字"庄梦娴"就可以看出来。比一比，庄梦娴觉得她比她妈

mā xiǎo shí hou wén jìng duō le
妈小时候文静多了。

sān
三

biàn chéng le nán hái zi nǚ hái zi de bà ba mā ma men
变成了男孩子女孩子的爸爸妈妈们
zài zú qiú chǎng shang jǐ lái jǐ qù dōng zhāng xī wàng bù
在足球场上挤来挤去，东张西望，不
zhī dào gāi gàn shén me
知道该干什么。

huí jiào shì qù
"回教室去！"

tōng tōng de huí jiào shì qù
"通通地回教室去！"

cóng tǐ yù guǎn nà biān guò lái de nà xiē biàn chéng le
从体育馆那边过来的、那些变成了
bà ba mā ma de xué sheng men dà shēng yāo he zhe xiàng gǎn
爸爸妈妈的学生们，大声吆喝着，像赶
yā zi yī yàng bǎ bà ba mā ma gǎn jìn le jiào shì
鸭子一样，把爸爸妈妈赶进了教室。

jiào shì li zǎo yǐ yǒu le jǐ gè xué sheng nà yě shì
教室里早已有了几个学生，那也是
dà ren biàn de mì ér bǎ hóng gōng xué xiào de lǎo shī bāo kuò
大人变的。蜜儿把红宫学校的老师，包括

xiào zhǎng　bāo kuò lóng dū jiān quán dōu biàn chéng le xué sheng　hái
校长，包括龙督监全都变成了学生，还

bǎ tā men fēn sàn dào gè gè jiào shì li
把他们分散到各个教室里。

　　lóng xiào zhǎng hé lóng dū jiān bèi fēn dào liù nián jí bān de
龙校长和龙督监被分到六年级班的

jiào shì li　lóng xiào zhǎng shì yī gè chuān yī shēn bái sè yùn dòng
教室里。龙校长是一个穿一身白色运动

zhuāng de yīng jùn shào nián　zuò zài zuò wèi shang hái zài yòng jiǎo
装的英俊少年，坐在座位上还在用脚

diān qiú　lóng dū jiān bìng bù shì yī gè xún guī dǎo jǔ de nǚ hái
颠球；龙督监并不是一个循规蹈矩的女孩

zi　kè zhuō shang fàng zhe yī běn jiào kē shū　jiào kē shū xià miàn
子，课桌上放着一本教科书，教科书下面

què fàng zhe yī běn màn huà shū
却放着一本漫画书。

　　shàng kè le　shàng kè le　chuān zhe yī shēn hēi sè
"上课了！上课了！"穿着一身黑色

tào zhuāng de ní qiàn qiàn zǒu xiàng jiǎng tái　tā de liǎn shang
套装的倪倩倩走向讲台，她的脸上

méi yǒu yī sī xiào róng　dà jiā dōu zài zuò wèi shang zuò
没有一丝笑容，"大家都在座位上坐

hǎo　bù xǔ shuō huà　bù xǔ luàn dòng
好，不许说话！不许乱动！"

　　ní qiàn qiàn kāi shǐ gěi dà ren men shàng yǔ wén kè
倪倩倩开始给大人们上语文课。

　　bǎ shū fān dào dì　　yè
"把书翻到第46页。"

最美的一课

109

lóng xiào zhǎng méi yǒu fān shū　liǎng yǎn dīng zhe　ní qiàn qiàn
龙校长没有翻书，两眼盯着倪倩倩

kàn　zài bāng tā zuò xíng xiàng shè jì　tā de nǎo dai xiǎo　tóu
看，在帮她作形象设计：她的脑袋小、头

fa shǎo　zěn me néng gòu bǎ tóu fa jǐn jǐn de shù zài hòu miàn
发少，怎么能够把头发紧紧地束在后面？

tā yīng gāi bǎ tóu fa tàng de péng sōng yī diǎn　pī zài jiān
她应该把头发烫得蓬松一点，披在肩

shang
上……

lóng téng fēi　　ní qiàn qiàn jiào dào le lóng xiào zhǎng de
"龙腾飞！"倪倩倩叫到了龙校长的

míng zi　　jiào nǐ fān shū　nǐ kàn zhe wǒ gàn shén me
名字，"叫你翻书，你看着我干什么？"

ní qiàn qiàn jiào lóng xiào zhǎng zhàn qǐ lái bèi shū　cóng dì
倪倩倩叫龙校长站起来背书，从第

èr zì rán duàn bèi dào dì liù zì rán duàn
二自然段背到第六自然段。

lóng téng fēi xiào zhǎng nǎ lǐ bèi de liǎo　zuó
龙腾飞校长哪里背得了，昨

tiān xià wǔ fàng xué　tā jiù yī zhí zài tī
天下午放学，他就一直在踢

qiú　tī dào tiān hēi　huí qù chī le wǎn fàn
球，踢到天黑，回去吃了晚饭

jiù shuì jiào le
就睡觉了。

bèi bù liǎo　　zhàn zài jiào shì hòu
"背不了？站在教室后

miàn gěi wǒ bèi qù
面给我背去！"

lóng xiào zhǎng ná zhe shū   zhàn zài jiào shì hòu miàn qù le
龙校长拿着书，站在教室后面去了。

ní qiàn qiàn zài hēi bǎn shang xiě kè wén de shēng zì   lóng
倪倩倩在黑板上写课文的生字，龙

dū jiān chèn jī měng fān màn huà shū
督监趁机猛翻漫画书。

lóng shū lán   ní qiàn qiàn de hòu nǎo sháo shang sì hū
"龙淑兰！"倪倩倩的后脑勺上似乎

zhǎng yǒu yǎn jing   tā yī zhuǎn shēn jiào zhe lóng dū jiān de míng
长有眼睛，她一转身叫着龙督监的名

zi   jìng zhí zǒu dào lóng dū jiān de kè zhuō qián   nǐ zài gàn
字，径直走到龙督监的课桌前，"你在干

shén me
什么？"

wǒ   wǒ zài kàn yǔ wén shū
"我……我在看语文书。"

nǐ sā huǎng   ní qiàn qiàn cóng lóng dū jiān bǎi zài kè
"你撒谎！"倪倩倩从龙督监摆在课

zhuō shang de yǔ wén shū xià miàn   chōu chū yī běn màn huà shū chū
桌上的语文书下面，抽出一本漫画书出

lái   nǐ kàn de shì zhè běn màn huà shū ba
来，"你看的是这本漫画书吧？"

ní qiàn qiàn bǎ màn huà shū sī de fěn suì   diū jìn fèi zhǐ
倪倩倩把漫画书撕得粉碎，丢进废纸

lǒu li
篓里。

111

讲完了生字，又讲词语的意思。讲完了词语的意思，给课文分段，归纳段落大意。段落大意归纳完了，又开始归纳中心思想。

这时候，班上有一半以上的人都趴在课桌上睡着了。

孟小乔的爸爸也睡着了，嘴角边流下一摊口水。

"孟金斗！"

孟金斗是孟小乔爸爸的名字。倪倩倩拧着他的一只耳朵，像拧着一只兔子，把他从座位上拧起来。

"你胆大包天，上课竟敢睡觉！"

倪倩倩把孟小乔爸爸的耳朵拧痛

了，他龇牙咧嘴，申辩道："我本来不敢睡觉，是你讲的课像催眠曲，把我催睡着的。"

打瞌睡的人还有庄梦娴的妈妈、苗壮壮的爸爸、童童的爸爸、桑子兰的妈妈……他们都说是倪倩倩讲课文，把他们讲睡着的。

"你们都给我站到教室后面去！"

倪倩倩怒不可遏，指着教室后面高声吼道。

结果，有十几个人都站到教室后面去了。人多站不下，龙校长趁没人注意他，又悄悄溜到自己的座位上。

好容易熬到下课

铃响，十分钟的课间休息，倪倩倩又占

用了五分钟，剩下的五分钟只够上一

趟卫生间。

接下来是两节数学课。杜迪生当数

学老师。他梳着三七开的分头，戴一副黑

色的方框眼镜。一进教室，他就给大家发

试卷，一共发了三大张。

三大张试卷要在四十分钟内做完，

大家都拼命地做呀，做呀……

四十分钟到了，大部分同学都没有

做完。杜迪生面无表情地宣布道："延

长十分钟。"

延长的这十分钟就是课间十分钟。

当上课铃响起的时候，杜迪生面无表

情地收卷子，没做完的也收，铁面无私。

大家还没来得及喘口气，杜迪生又

开始发试卷。好些家长都叫起苦来。

"还考呀？"

"脑筋都转不动啦！"

"杜老师，饶了我们吧！"

"我饶你们，谁饶我呀？"杜迪生毫不

心软，"刚才做的是A卷题，现在发的是B

卷题。"

杜迪生的爸爸一拿到B卷题就

叫起来："这么难，怎么做呀？"

"你还想当科学家呢！"

杜迪生对他爸爸冷嘲热讽，

"不做点难题，你怎么攀登科

xué gāo fēng
学高峰?"

shòu dào dù dí shēng jī fěng de dù dí shēng bà ba xiū
受到杜迪生讥讽的杜迪生爸爸羞

kuì nán dāng hèn bu de yī quán dǎ zài dù dí shēng de liǎn
愧难当，恨不得一拳打在杜迪生的脸

shang dǎ wāi tā de bí zi dǎ suì tā de yǎn jìng kě shì
上，打歪他的鼻子，打碎他的眼镜。可是，

tā bù néng xiàn zài zhè ge ná nán tí gěi tā men zuò de rén
他不能。现在，这个拿难题给他们做的人

bù shì tā de ér zi shì tā de lǎo shī
不是他的儿子，是他的老师。

juàn tí shí zài tài nán le shí fēn chī lì de zuò wán
B卷题实在太难了。十分吃力地做完

zhè tào tí hòu lóng dū jiān lèi pā xià le lóng xiào zhǎng de nǎo
这套题后，龙督监累趴下了，龙校长的脑

jīn yǐ jīng zhuàn bù dòng le
筋已经转不动了。

sì
（11）

hóng gōng xué xiào de jiā zhǎng men zài hóng gōng xué xiào zuò
红宫学校的家长们在红宫学校做

le yī tiān de xué sheng lèi de jīng pí lì jié kǔ bù kān
了一天的学生，累得精疲力竭，苦不堪

言。做了一天爸爸妈妈的学生们却扬眉吐气，开心极了。

把下午的课上完，这些做儿子做女儿的手下留情，两个小时的晚课就免了。

把那些变成了孩子的爸爸妈妈集中在足球场上，隐身的蜜儿撑开紫色伞，向右旋转，紫色的云雾把人群笼罩起来。当紫色云雾散尽的时候，男孩子都成了爸爸，女孩子都成了妈妈。

在红宫学校过的这一天，这些家长们感慨万千。

蜜儿又赶到体育馆里，变成了爸爸

mā ma hé lǎo shī de hái zi men dōu jí zhōng zài nà lǐ mì
妈妈和老师的孩子们都集中在那里。蜜

ér chēng kāi zǐ sè sǎn xiàng zuǒ xuán zhuǎn zǐ sè de yún wù
儿撑开紫色伞，向左旋转。紫色的云雾

bǎ rén qún lǒng zhào qǐ lái dāng zǐ sè de yún wù sàn jìn de
把人群笼罩起来。当紫色的云雾散尽的

shí hou nà xiē bà ba men hé nán lǎo shī men yòu biàn huí chéng
时候，那些爸爸们和男老师们又变回成

nán hái zi nà xiē mā ma men hé nǚ lǎo shī men yòu biàn huí
男孩子，那些妈妈们和女老师们又变回

chéng nǚ hái zi
成女孩子。

nán hái zi nǚ hái zi xiàng zú qiú chǎng shang pǎo qù qù
男孩子女孩子向足球场上跑去，去

zhǎo tā men de bà ba mā ma
找他们的爸爸妈妈。

bà ba
"爸爸！"

mā ma
"妈妈！"

suī rán jīn tiān de xiào qìng
虽然今天的校庆

rì guò de shí fēn guò yǐn shí
日过得十分过瘾，十

fēn kāi xīn dàn hái zi men hái
分开心，但孩子们还

shì xīn téng tā men de bà ba mā
是心疼他们的爸爸妈

118

妈，心疼他们辛辛苦苦地做了一天学生。

"爸爸，你累不累？"

"妈妈，回去早点休息吧！"

爸爸妈妈们都很惭愧，他们都感到对孩子的了解太少了，对他们的关心也不够。通过做了一天的学生，他们真真切切地感受到，现在做学生是多么地辛苦，多么地不容易。比他们过去做学生的时候难多了。而更重要的是，他们都回忆起来了：每个人都是由小孩子长成大人的。

家长们找到龙校长，都抢着和他握手，向他表示感谢。

"龙校长，谢谢你搞了这么成功的一个活动！"

"谢谢校长，给了我们一天做学生的机会，让我们真正了解了自己的孩子。"

"谢谢校长，用今天这个特别的方式，帮助我们转变了教育观念。"

……

其实，龙校长今天的感慨应该比这些家长们的感慨更多。他也心存感激，他要感激的是蜜儿，他有许多话想对蜜儿讲。

童心城堡

在每个人的内心深处，都有一座梦幻的城堡。只有保持着一颗童心的人，才能进入到这座城堡中去。

——蜜儿

一

自从红宫学校的校庆后，龙校长就再也没有见到过蜜儿。尽管他知道蜜儿还在学校里，因为她每天还在给学生

121

shàng kè
上 课。

xiào qìng rì nà yī tiān　jiā zhǎng hé hái zi hù huàn jué
校 庆 日 那 一 天，家 长 和 孩 子 互 换 角

sè de huó dòng hěn chéng gōng　jiā zhǎng men dōu hěn gǎn xiè lóng
色 的 活 动 很 成 功，家 长 们 都 很 感 谢 龙

xiào zhǎng
校 长。

lóng xiào zhǎng zuì xiǎng gǎn xiè de rén shì mì ér
龙 校 长 最 想 感 谢 的 人 是 蜜 儿。

xiào qìng rì nà tiān wǎn shang　lóng xiào zhǎng jiù qù zhǎo guo
校 庆 日 那 天 晚 上，龙 校 长 就 去 找 过

mì ér　tā yǒu xǔ duō huà yào duì tā jiǎng　kě shì　tā zhǎo
蜜 儿，他 有 许 多 话 要 对 她 讲。可 是，他 找

biàn le xué xiào suǒ yǒu de dì fang　dōu méi yǒu zhǎo dào mì ér
遍 了 学 校 所 有 的 地 方，都 没 有 找 到 蜜 儿。

zhè tiān wǎn shang　lóng xiào zhǎng líng jī yī dòng　tū rán xiǎng dào
这 天 晚 上，龙 校 长 灵 机 一 动，突 然 想 到

le nà piàn yòng wéi qiáng wéi qǐ lái de huāng dì　yīn wèi nà piàn
了 那 片 用 围 墙 围 起 来 的 荒 地。因 为 那 片

huāng dì yī zhí méi yǒu pài shàng yòng chǎng　zhè piàn dì jiù chéng
荒 地 一 直 没 有 派 上 用 场，这 片 地 就 成

le xué xiào de yī kuài sǐ jiǎo　jǐ hū méi rén dào zhè dì fang
了 学 校 的 一 块 死 角，几 乎 没 人 到 这 地 方

lái　dàn mì ér hǎo xiàng duì zhè piàn huāng dì qíng yǒu dú zhōng
来。但 蜜 儿 好 像 对 这 片 荒 地 情 有 独 钟。

yǒu hǎo jǐ cì　lóng xiào zhǎng dōu kàn jiàn mì ér wǎng zhè piàn huāng
有 好 几 次，龙 校 长 都 看 见 蜜 儿 往 这 片 荒

草地走，走到围墙那里便消失了。龙校长还曾经跟着六年级班的学生去过那里，亲眼目睹了一件不可思议的事情。长满荒草的地上，怎么会突然长出一棵参天大树来？

龙校长有一种预感，蜜儿一定有许多秘密藏在这片荒草地里。

龙校长虽然已是三十几岁的中年男子，就像姑妈龙督监说的那样，他像一个永远长不大的男孩子，有着强烈的好奇心。

月色朦胧，通向荒草地的小道两边，树影婆娑。

学生们都还在教室里上晚课,校园里空空荡荡。龙校长的脚步声显得格外地响。

快走到围墙那里,龙校长想起蜜儿每次走到这里都是破墙而入,他也有了"破墙而入"的冲动。

龙校长闭了眼,奔墙而去。

"哎哟——"

龙校长不仅没能破墙而入,墙还撞痛了他的鼻子。

龙校长不得不在心里承认,他是一个凡人,而蜜儿有那么多不同凡人之处。一想到他们之间的种种差异,龙校长的心里就有些伤感。他觉得蜜儿总令他捉摸不透，而他又是那么痴心地喜欢蜜儿。

像上次一样，龙校长只得去找一把梯子，翻进围墙。

除了那棵大树，荒草地上又出现了一座庞然大物。因为只有朦胧的月光，看不清那座庞然大物是什么，隐隐约约地看得见一些轮廓，那轮廓有点像一座中世纪的城堡。

龙校长一步一步地走近那座像城堡的庞然大物。走近了看，那座庞然大物就是城堡，他看见从里面透出的光亮，闻到

了一阵松香，他甚至能判断出这是插在墙壁上的火把。

龙校长没有发现城堡的门在哪里。

三楼的一个窗口，伸出来铁链吊起来的吊桥。从吊桥上可以进入到城堡里。

但是，吊桥悬在空中，龙校长没有办法上去。

二

第二天，龙校长一早就守候在六年级班的教室门口。蜜儿在里面上课。

下课铃响了，蜜儿刚从教室里出来，

龙校长就把她堵上了。

"蜜儿——"龙校长直奔主题，"昨晚，我去了荒草地，我看见那里有一座城堡，我想进去，可是没有门，只有一座吊桥悬在空中……"

"哦，那是一座童心城堡。"蜜儿说，"只要有童心的人，都能进去。"

龙校长急忙表白道："我有童心的。"

蜜儿神秘地一笑："有童心的人，最终是能进去的。"

龙校长眼睁睁看着蜜儿飘然而去。他想对蜜儿说的话，又没说成。每次都这样，见到蜜儿之前，他都把那些话准备得很充分，甚至用什么样的语气说，都设计好了的。但是，真正见到蜜儿，不知道蜜儿身上有什么魔力，那些想说的话都跑到九霄云外去了。

这一天，龙校长都在想那个"童心城堡"，都在想自己是不是一个有童心的人。"童心城堡"对他有那么强烈的吸引力，他一定要进去。

上晚课的铃声打响后，龙校长就向荒草地走去。

像昨晚一样，他还是爬梯子翻过高高的围墙。他先从墙这边翻到墙上，然后把梯子放到墙那边，再顺着梯子爬下去。今天晚上，梯子没放好，爬下去爬到一半，梯子连人一

块倒了，龙校长连翻几个跟斗，幸好没伤到筋骨。

　　龙校长好久没翻跟斗了。小时候，他最喜欢翻跟斗。家里的地板上都铺着厚厚的地毯，从卧室到客厅，他不是走着去的，而是翻着跟斗去。从客厅到厨房，也不是走着去的，而是翻着跟斗去。所以，大人们干脆都叫他"小跟斗"。

　　龙校长在荒草地上翻起跟斗来。自从长大成人，他是第一次这么过瘾地翻跟斗。

　　翻到城堡那里，只听"哗啦啦"一阵铁链响，悬在空中的吊桥落到地上。

　　龙校长从地上爬起来，准备向吊

qiáo shang chōng
桥上冲。

jiù zài zhè shí　bù zhī cóng shén me dì fang　pǎo lái yī
就在这时，不知从什么地方，跑来一

pǐ bái jùn mǎ　tíng zài lóng xiào zhǎng de miàn qián　mǎ ān shang
匹白骏马，停在龙校长的面前。马鞍上，

fàng zhe yī jiàn hēi dǒu peng　yī dǐng hēi mào zi　yī bǎ cháng
放着一件黑斗篷，一顶黑帽子，一把长

bǎo jiàn
宝剑。

lóng xiào zhǎng dài shàng hēi mào zi　pī shàng hēi dǒu peng
龙校长戴上黑帽子，披上黑斗篷，

shǒu wò cháng bǎo jiàn　kuà shàng le bái jùn mǎ　tā tái tóu yī
手握长宝剑，跨上了白骏马。他抬头一

wàng　　mì ér zài chéng bǎo dǐng shang yī gè xiǎo gé lóu de
望——蜜儿在城堡顶上一个小阁楼的

chuāng kǒu li　tā zài nà lǐ wàng zhe tā
窗口里，她在那里望着他。

jià
"驾！"

lóng xiào zhǎng yòng tuǐ yī jiā mǎ dù　bái jùn mǎ bēn pǎo
龙校长用腿一夹马肚，白骏马奔跑

qǐ lái　pǎo guò diào qiáo　zhǐ tīng shēn hòu　huā lā lā　yī zhèn
起来，跑过吊桥，只听身后"哗啦啦"一阵

tiě liàn xiǎng　diào qiáo yòu xuán zài le kōng zhōng
铁链响，吊桥又悬在了空中。

sān
三

bái jùn mǎ pǎo jìn chéng bǎo　áng shǒu yī shēng cháng míng
白骏马跑进城堡，昂首一声长鸣，

lì jí chōng lái yī duì xiǎo qí shì　tā men dài tóu kuī　chuān
立即冲来一队小骑士。他们戴头盔，穿

jiǎ zhòu　yī shǒu ná máo　yī shǒu
甲胄，一手拿矛，一手

ná dùn
拿盾。

zài yáo huàng de　huǒ guāng
在摇晃的火光

zhōng　lóng xiào zhǎng hái shi kàn qīng
中，龙校长还是看清

chu le zhè xiē xiǎo qí shì dōu shì
楚了这些小骑士都是

liù nián jí bān de nán shēng　zuì
六年级班的男生。最

qián miàn de nà ge gāo gè zi shì
前面的那个高个子是

dǎ lán qiú dǎ de tǐng hǎo de mài
打篮球打得挺好的麦

tián　mài tián páng biān shì pǎo de bǐ
田；麦田旁边是跑得比

tù zi hái kuài de qián fēng　nà ge téng bù chū shǒu lái tí kù zi
兔子还快的钱丰；那个腾不出手来提裤子

de shì zhāng xiǎo yě　nà ge rěn bù zhù dǎ le gè pēn tì de
的是张小野；那个忍不住打了个喷嚏的

shì wáng jìng sōng
是王劲松……

　　kuài ràng wǒ jìn qù　lóng xiào zhǎng lā zhù mǎ jiāng
　　"快让我进去！"龙校长拉住马缰，

wǒ yào qù zhǎo nǐ men de lǎo shī mì ér
"我要去找你们的老师蜜儿。"

　　guāng de yī shēng　xiǎo qí shì men bīng fēn liǎng lù
　　"咣"的一声，小骑士们兵分两路，

jiāo chā jià qǐ shǒu zhōng de cháng máo　yī diǎn dōu bù mǎi tā men
交叉架起手中的长矛，一点都不买他们

xiào zhǎng de zhàng
校长的账。

　　yào jìn qù　xiān guò guān　mài tián huī wǔ cháng máo
　　"要进去，先过关！"麦田挥舞长矛，

wǒ men zhè shì dì yī dào guān　cháng máo guān
"我们这是第一道关——长矛关。"

　　lóng xiào zhǎng chōu chū jiàn　hé xiǎo qí shì men bǐ qǐ
　　龙校长抽出剑，和小骑士们比起

wǔ lái
武来。

　　guāng guāng guāng
　　"咣！咣！咣！"

xiǎo qí shì men cì guò lái de cháng máo　dōu bèi lóng xiào
小骑士们刺过来的长矛，都被龙校

zhǎng de jiàn dǎng kāi le
长 的 剑 挡 开 了。

dāng dāng dāng
"当！当！当！"

lóng xiào zhǎng huī chū qù de jiàn dōu huī zài xiǎo qí shì
龙校长挥出去的剑，都挥在小骑士

men de dùn pái shang
们的盾牌上。

lóng xiào zhǎng dān qiāng pǐ mǎ xiǎo qí shì men rén duō shì
龙校长单枪匹马，小骑士们人多势

zhòng lóng xiào zhǎng zhǐ xiǎng kuài diǎn jiàn dào mì ér wú xīn liàn
众。龙校长只想快点见到蜜儿，无心恋

zhàn xiǎo qí shì men què jiū chán bù xiū nà ge kù zi dōu méi
战，小骑士们却纠缠不休。那个裤子都没

zā hǎo de zhāng xiǎo yě dǎng zài lóng xiào zhǎng de miàn qián tiào de
扎好的张小野，挡在龙校长的面前跳得

zuì gāo
最高。

lóng xiào zhǎng xiàng wán tóng bān de xiào le cháng jiàn shēn
龙校长像顽童般地笑了，长剑伸

xiàng zhāng xiǎo yě de kù yāo qīng qīng yī tiǎo kù zi diào xià
向张小野的裤腰，轻轻一挑，裤子掉下

lái le
来了。

hā hā hā
"哈哈哈！"

hā hā hā
"哈哈哈！"

小骑士们哪里还有骑士风度，笑得一塌糊涂，龙校长趁机脱身。

龙校长策马向前。

这城堡里像一座迷宫。龙校长骑着马跑了半天，又回到了原来的地方。

"嗨，站住！"龙校长见有一个穿一身白裙的女子在前边的岔道上一闪而过，便追了上去。

一看，那个穿白裙的女子是六年级班的孟小乔。

"快告诉我，我要去找你们的老师蜜儿，该走哪条道？"

"没有道走。"

孟小乔也不买龙校长的账，

zhuǎn shēn jiù zǒu
转身就走。

zěn me méi dào zǒu　　lóng xiào zhǎng qí mǎ lán zhù mèng
"怎么没道走?"龙校长骑马拦住孟

xiǎo qiáo　　　wǒ yǐ jīng kàn jiàn tā le　tā jiù zài zhè zuò chéng
小乔,"我已经看见她了,她就在这座城

bǎo dǐng shang de gé lóu li
堡顶上的阁楼里。"

mèng xiǎo qiáo gào su lóng xiào zhǎng　tā bì xū guò yī piàn
孟小乔告诉龙校长,他必须过一片

huǒ hǎi　　zài guò yī zuò dāo shān　cái néng jiàn dào mì ér
火海,再过一座刀山,才能见到蜜儿。

lóng xiào zhǎng míng bai le　　tā yào zǒu chū mí gōng　xiān
龙校长明白了,他要走出迷宫,先

děi zhǎo dào yī piàn huǒ hǎi
得找到一片火海。

nà piàn huǒ hǎi bìng bù nán zhǎo　　zhǐ yào wǎng yǒu guāng yǒu
那片火海并不难找。只要往有光有

rè de dì fang pǎo　　yī piàn huǒ hǎi biàn chéng xiàn zài yǎn qián
热的地方跑,一片火海便呈现在眼前。

liè yàn gǔn gǔn de huǒ hǎi bǎ bái jùn mǎ jīng le　　tā sì
烈焰滚滚的火海把白骏马惊了,它四

tí téng kōng　bǎ lóng xiào zhǎng cóng tā bèi shang shuāi le xià lái
蹄腾空,把龙校长从它背上摔了下来。

lóng xiào zhǎng yī xīn yào jiàn dào mì ér　　bù gù yī qiè
龙校长一心要见到蜜儿,不顾一切

de tiào jìn le huǒ hǎi
地跳进了火海。

火海下面是水，不冷不烫，温温的，正合适。龙校长轻轻松松地从火海下面游了过去，权当舒舒服服地洗了个温泉澡。

过了火海，龙校长又去找那座刀山。那座刀山可不好找。

有几个穿银色紧身衣的女孩子从龙校长身边跑过。他叫住她们，一看，又是六年级班的几个女生。那个有一双大眼睛的是蓝英子；那额头鼓鼓、下巴翘翘的是桑子兰；那个像假小子的是庄梦娴；那个身材苗条的是方萍。

"龙校长，你真会找地方玩儿。"庄梦娴大大咧咧地问道，"你怎么知道这座

chéng bǎo de
城 堡 的？"

lóng xiào zhǎng wèn tā men　dāo shān zài nǎr
龙 校 长 问 她 们，刀 山 在 哪 儿？

jǐ gè nǚ hái zi jīng chà bù yǐ　lóng xiào zhǎng zěn me
几 个 女 孩 子 惊 诧 不 已，龙 校 长 怎 么

huì dào zhè lǐ lái zhǎo dāo shān
会 到 这 里 来 找 刀 山？

lóng xiào zhǎng　nǐ wèi shén me fēi yào zhǎo dāo shān ne
"龙 校 长，你 为 什 么 非 要 找 刀 山 呢？

zhè lǐ hǎo wán de dì fang duō de hěn　wǒ men dài nǐ qù ba
这 里 好 玩 的 地 方 多 得 很，我 们 带 你 去 吧！"

jǐ gè nǚ hái zi tuī de tuī　lā de lā　bǎ lóng xiào
几 个 女 孩 子 推 的 推，拉 的 拉，把 龙 校

zhǎng dài dào yī zuò bō li fáng jiān li　qí shí　nà shì yī gè
长 带 到 一 座 玻 璃 房 间 里。其 实，那 是 一 个

jù dà de yú gāng　kě shì yú gāng lǐ miàn méi yǒu shuǐ　dà dà
巨 大 的 鱼 缸，可 是 鱼 缸 里 面 没 有 水，大 大

xiǎo xiǎo　gè zhǒng yán sè de yú　dōu lì zhe shēn zi　yòng wěi
小 小，各 种 颜 色 的 鱼，都 立 着 身 子，用 尾

ba zǒu lù　yǒu de yú hái huì pá shù　bù guò　nà shì shān hú
巴 走 路。有 的 鱼 还 会 爬 树，不 过，那 是 珊 瑚

shù　yǒu de yú hái shà yǒu jiè shì de xiàng rén nà yàng shuāng jiān
树。有 的 鱼 还 煞 有 介 事 地 像 人 那 样 双 肩

bēi zhe bāo　dān jiān kuà zhe bāo　shǒu li tí zhe bāo　xíng sè
背 着 包，单 肩 挎 着 包，手 里 提 着 包，行 色

cōng cōng　xiàng yǒu xǔ duō gōng shì yào bàn shì de
匆 匆，像 有 许 多 公 事 要 办 似 的。

几个女孩子拉着龙校长穿行在这些鱼中间，她们拍拍这条鱼的背，拍拍那条鱼的肚子，跟这些鱼打招呼。鱼也翻着白眼，嘴巴一张一张地向她们打招呼。

"龙校长，这里是不是很好玩？"

"龙校长，这里是不是很有意思？"

尽管龙校长也觉得这里很好玩，这里很有意思，可是，他一心想见到蜜儿，所以他必须尽快地找到那座刀山。

"你们在这里玩吧，我还是要去找那座刀山。"

龙校长挣脱那几个女孩子的手，从大鱼缸里跑了出来。

几个女孩子不明白，龙校长为什么

fēi yào qù zhǎo nà zuò dāo shān ne
非要去找那座刀山呢？

jǐ gè nǚ hái zi gēn zài lóng xiào zhǎng de hòu miàn gēn
几个女孩子跟在龙校长的后面，跟

zhe tā qù zhǎo dāo shān
着他去找刀山。

nà xiē zǒu lù de yú tīng shuō yǒu rén yào zhǎo dāo shān
那些走路的鱼听说有人要找刀山，

yú men cóng lái méi yǒu jiàn guo dāo shān shì shén me yàng zi yú
鱼们从来没有见过刀山是什么样子。鱼

men fēn fēn cóng dà yú gāng li pǎo chū lái gēn zài jǐ gè nǚ
们纷纷从大鱼缸里跑出来，跟在几个女

hái zi hòu miàn qù zhǎo dāo shān
孩子后面，去找刀山。

lóng xiào zhǎng yǒng wǎng zhí qián wú lùn nà zuò dāo shān zěn
龙校长勇往直前，无论那座刀山怎

me nán zhǎo tā yī dìng yào zhǎo dào nà zuò dāo shān
么难找，他一定要找到那座刀山。

qián miàn yǒu yī dào yī dào de hán guāng shǎn guò
前面有一道一道的寒光闪过。

lóng xiào zhǎng xiàng hán guāng shǎn guò de dì fang bēn qù
龙校长向寒光闪过的地方奔去。

guǒ rán yī zuò dāo shān héng zài tā de miàn qián dāo shān
果然，一座刀山横在他的面前。刀山

shang mì mì má má chā zhe yī chǐ duō
上，密密麻麻插着一尺多

cháng de shuāng rèn jiān dāo nà yī dào
长的双刃尖刀，那一道

141

樱桃园·杨红樱注音童书

dào hán guāng jiù shì cóng dāo rèn shang shè chū lái de
道寒光就是从刀刃上射出来的。

lóng xiào zhǎng xiàng dāo shān shang chōng qù
龙校长向刀山上冲去。

à
"啊——"

jǐ gè nǚ hái zi jiān jiào yī shēng shuāng shǒu wǔ zhù le
几个女孩子尖叫一声,双手捂住了

yǎn jing bù gǎn kàn lóng xiào zhǎng de shēn tǐ bèi jiān dāo cì chuān
眼睛,不敢看龙校长的身体被尖刀刺穿

de xuè xīng chǎng miàn
的血腥场面。

zǒu lù de yú men yě dǎo le yī dì tā men yǐ
走路的鱼们也倒了一地,它们已

jīng bèi xià yūn le guò qù
经被吓晕了过去。

lóng xiào zhǎng chōng shàng dāo shān jiǎo tà yī bǎ bǎ
龙校长冲上刀山,脚踏一把把

jiān dāo méi xiǎng dào zhè xiē jiān dāo bù jǐn méi yǒu cì
尖刀。没想到,这些尖刀不仅没有刺

shāng tā de jiǎo fǎn ér bèi tā de jiǎo tà rù le dāo qiào li
伤他的脚,反而被他的脚踏入了刀鞘里,

děng tā guò qù zhī hòu jiān dāo yòu cóng dāo qiào li tán chū lái
等他过去之后,尖刀又从刀鞘里弹出来。

lóng xiào zhǎng shàng le dāo shān jū rán shēn shang háo fà
龙校长上了刀山,居然身上毫发

wèi shāng tā yǒu diǎn bù gān xīn shèn zhì yǒu diǎn huái yí zhè
未伤。他有点不甘心,甚至有点怀疑:这

me róng yì jiù shàng le dāo shān guò le huǒ hǎi néng jiàn dào
么容易就上了刀山，过了火海，能见到

mì ér ma
蜜儿吗？

mì ér yǐ jīng lái dào le lóng xiào zhǎng de shēn biān
蜜儿已经来到了龙校长的身边。

duì yǒng gǎn de rén lái shuō dāo shān huǒ hǎi bù guò
"对勇敢的人来说，刀山火海不过

rú cǐ mì ér xiào mī mī de shuō rén de yǒng qì kě yǐ
如此。"蜜儿笑眯眯地说，"人的勇气可以

zhàn shèng yī qiè zài shuō zhè lǐ shì tóng xīn chéng bǎo rèn hé
战胜一切。再说，这里是童心城堡，任何

zài chéng rén kàn lái bù kě sī yì de shì qíng dōu kě néng zài
在成人看来不可思议的事情，都可能在

zhè lǐ fā shēng
这里发生。"

wǒ jué de zhè lǐ gèng xiàng yī zuò xué xiào lóng xiào
"我觉得这里更像一座学校。"龙校

zhǎng tū fā líng gǎn yī gè rén shēn shang zuì kě guì de pǐn
长突发灵感，"一个人身上最可贵的品

zhì bǐ rú zhōng chéng zhí zhuó
质，比如忠诚、执著、

yǒng gǎn chuàng zào lì hé xiǎng xiàng
勇敢、创造力和想象

lì zài zhè lǐ dōu kě yǐ dé dào
力，在这里都可以得到

liáng hǎo de yàn zhèng péi yǎng hé mó
良好的验证、培养和磨

liàn
炼……"

　　zhēn bù kuì shì xiào zhǎng　rèn hé shí hou　dōu wàng bù
　　真 不 愧 是 校 长 。任 何 时 候 ，都 忘 不

liǎo bàn xué xiào
了 办 学 校 。

　　lóng xiào zhǎng hǎo bù róng yì jiàn dào le mì ér　kě tā
　　龙 校 长 好 不 容 易 见 到 了 蜜 儿 ，可 他

xiàn zài de xīn si dōu zài bàn yī zuò xiàng　tóng xīn chéng bǎo　zhè
现 在 的 心 思 都 在 办 一 座 像 "童 心 城 堡"这

zhǒng mó shì de xué xiào　bǎ yào duì mì ér shuō de huà　yòu
种 模 式 的 学 校 ，把 要 对 蜜 儿 说 的 话 ，又

wàng dào jiǔ xiāo yún wài le
忘 到 九 霄 云 外 了 。

最后的晚课
zuì hòu de wǎn kè

对小鸟来说，幸福是聆听钟楼的钟声；
对青蛙来说，幸福是一年四季都能歌唱；对你
来说，幸福是什么呢？

——蜜儿

一

在童心城堡的球形教室里，蜜儿给
六年级班的学生上了一堂课后，孩子的
两条手臂上长出了两只翅膀，从城堡

里飞了出来。

孟小乔还在她居住的这座城市的上空盘旋。在空中,她已经遇到了几个同学了。现在,又有一只大鸟向她俯冲下来,有意地撞了她一下,险些把她撞落下来。幸好她用力地扇动了几下翅膀,才保持住身体的平衡。

"你干什么呀?"

撞孟小乔的是马赛飞,搞恶作剧是他的第一爱好。

马赛飞和孟小乔比翼齐飞,他是想跟孟小乔说话。

"哎,孟小乔,飞了半天,你有没有看到什么稀奇的事情?"

孟小乔告诉他，她在钟楼看见一只喜欢听钟声的小鸟。她怕小鸟冻死，把她的一只靴子送给了小鸟。

马赛飞看孟小乔的脚，脚上果然只有一只靴子。他大惊小怪地叫起来："你真的让小鸟穿你的靴子？"

"不是穿靴子。"孟小乔说，"我是把小鸟整个儿地放进靴子里，这靴子就好

147

xiàng shì tā de fáng zi   tā de wō
像是它的房子、它的窝。"

mǎ sài fēi wèn mèng xiǎo qiáo   nà nǐ de jiǎo lěng bù
马赛飞问孟小乔："那你的脚冷不

lěng a
冷啊？"

mǎ sài fēi bù wèn hái bù jué de   yī wèn   mèng xiǎo qiáo
马赛飞不问还不觉得，一问，孟小乔

hái zhēn de gǎn dào lěng   lěng de yǐ jīng má mù le
还真的感到冷，冷得已经麻木了。

yào bù yào wǒ tuō yī zhī xié gěi nǐ chuān
"要不要我脱一只鞋给你穿？"

bù yào   bù yào   mèng xiǎo qiáo gǎn jǐn shuō dào   nǐ
"不要，不要！"孟小乔赶紧说道，"你

qiān wàn bié tuō   mǎ sài fēi shì bān shang chū le míng de chòu
千万别脱！"马赛飞是班上出了名的臭

jiǎo   piān piān tā yòu xǐ huan tuō xié zi   xián shí gè jiǎo zhǐ tou
脚，偏偏他又喜欢脱鞋子，嫌十个脚指头

kùn zài xié zi li bù shū fu   měi cì tā
困在鞋子里不舒服。每次他

zài jiào shì li tuō xié zi   jiào shì li lì
在教室里脱鞋子，教室里立

jí chòu qì xūn tiān   tóng xué men zhuā qǐ shū
即臭气熏天，同学们抓起书

huò běn zi zài bí zi qián měng shān   dà
或本子在鼻子前猛扇，大

mà tā   wū rǎn xīn xiān kōng qì
骂他"污染新鲜空气"。

孟小乔真的怕马赛飞脱鞋给她，马上转移话题。

"马赛飞，你看到什么稀奇的事情了吗？"

不想马赛飞回答，他对稀奇的事情不感兴趣。

"那你对什么事感兴趣？"

"我在做一个有趣的调查。"马赛飞挺神秘地说，"我一个窗口一个窗口地看，发现呀，我们这么大的孩子，没有一个在玩的，都在灯下做作业。"

"这有什么奇怪的？"孟小乔说，"如果今天晚上不是蜜儿给我们上晚课，我们还不是和那些孩子一样。"

"为什么呀为什么?"马赛飞长叹一声,"为什么有那么多的作业拿给我们做?"

马赛飞又想搞恶作剧了。

"哎,孟小乔,我们去给那些做作业的孩子来点小小的刺激吧,让他们放松放松。"

经过一个挂着粉色窗帘的窗口,隐隐约约能看见里面一个梳着马尾辫的女孩在做作业的影子。

玻璃窗关得紧紧的。

马赛飞用翅膀拍拍玻璃窗,梳马尾辫的女孩向窗子这里走来,"哗"的一声拉开了玻璃窗。

"啊——"

女孩尖叫一声，

因为她看见了一张瞪着眼睛、伸着舌头的鬼脸——那是马赛飞做的鬼脸。

马赛飞和孟小乔藏在一棵大树后面。那个梳马尾辫的女孩惊魂未定向外张望了一会儿，"哗"的一声又拉上了玻璃窗。

"你真坏！"孟小乔瞪了马赛飞一眼，"这女孩真被你吓死了，怎么办？"

"没那么严重。"马赛飞说，"不过她今晚不会再做作业了，她会一直想刚才看到的那张鬼脸。哈哈……"

马赛飞就喜欢玩这样的恶作剧。他

rú fǎ páo zhì　　zhǐ yào kàn dào yǒu xué sheng zuò zuò yè de chuāng
如法炮制，只要看到有学生做作业的窗

kǒu　tā jiù qù qiāo bō li chuāng　　rán hòu duì rén jia zuò guǐ
口，他就去敲玻璃窗，然后对人家做鬼

liǎn　xià de rén jia hún bù fù tǐ
脸，吓得人家魂不附体……

　　　dāng　dāng　dāng
　　"当！当！当！"

zhōng lóu de líng shēng yòu xiǎng le　xiǎng le jiǔ xià　shì
钟楼的铃声又响了，响了九下，是

wǎn shang jiǔ diǎn zhōng le
晚上九点钟了。

　　wǒ men kuài huí qù ba　　mèng xiǎo qiáo duì hái zài wán
　　"我们快回去吧！"孟小乔对还在玩

è zuò jù de mǎ sài fēi shuō　　wǒ men bì xū zài jiǔ diǎn bàn
恶作剧的马赛飞说，"我们必须在九点半

xià wǎn kè zhī qián gǎn huí xué xiào　nán dào nǐ wàng le ma
下晚课之前赶回学校，难道你忘了吗？"

　　hái zǎo ne　shí fēn zhōng jiù kě yǐ fēi huí qù
　　"还早呢！十分钟就可以飞回去。"

mǎ sài fēi hái méi wán gòu
马赛飞还没玩够。

　　mèng xiǎo qiáo bù guǎn mǎ sài fēi　tā shì yī dìng yào fēi
　　孟小乔不管马赛飞，她是一定要飞

huí qù le　tā láo jì zhe mì ér dì yī cì bǎ tā men dài jìn
回去了。她牢记着蜜儿第一次把他们带进

tóng xīn chéng bǎo li shuō de huà　bù guǎn zài chéng bǎo li biàn
童心城堡里说的话，不管在城堡里变

chéng le shén me　zài wán shén me　zài jiǔ diǎn bàn zhōng　xué xiào
成了什么，在玩什么，在九点半钟，学校
xià wǎn kè de líng shēng xiǎng qǐ de shí hou　bì xū huí dào liù
下晚课的铃声响起的时候，必须回到六
nián jí bān de jiào shì li　fǒu zé
年级班的教室里，否则……

èr
二

mèng xiǎo qiáo xiàng xué xiào de fāng xiàng fēi qù　tā hái kàn
孟小乔向学校的方向飞去。她还看
jiàn jǐ zhī dà niǎo zài wǎng xué xiào de fāng xiàng fēi　tā zhī dào
见几只大鸟在往学校的方向飞，她知道
tā men dōu shì tā de tóng xué
他们都是她的同学。

fēi guò le gāo lóu lín lì de chéng shì　fēi guò le gāo
飞过了高楼林立的城市，飞过了高
sù gōng lù shang de　dēng hé　mèng xiǎo qiáo xiàng
速公路上的"灯河"，孟小乔向
xià yī kàn　xià miàn shì yī zhāng jù dà de fāng gé
下一看，下面是一张巨大的方格
qí pán
棋盘。

mèng xiǎo qiáo zài tián yě shang fēi
孟小乔在田野上飞。

“嘿，孟小乔！”

孟小乔回头一看，马赛飞追上来了。

马赛飞和孟小乔你追我赶，一会儿孟小乔飞在马赛飞的前面，一会儿马赛飞又飞在孟小乔的前面。

“呱！呱！……”

“呱！”孟小乔惊喜道，“青蛙的叫声。”

田野上太寂静了，所以这几声蛙鸣传到他们的耳朵里，清晰又悠远。

马赛飞喜欢解剖小动物，所以他的动物知识特别丰富。

他对这几声蛙鸣却有几分怀疑。

"青蛙是冬眠动物。现在已经是冬天了，冬眠的青蛙怎么还可能叫呢？"

马赛飞一定要降落到地面上去看个究竟。孟小乔也想看个究竟，可是她担心时间来不及了。

"来得及的。"马赛飞说，"这儿离学校已经不远了，我们只是下去看看，到底是不是青蛙在叫。"

马赛飞向地面俯冲下去，孟小乔也只好跟着他降落在地面上。

"呱！呱！呱！"

循着声音，他们在田边找到了那只不肯冬眠的青蛙。它已经快冻僵了，可还在拼命地叫。

"它为什么不躺到洞里去冬眠？为什么要这样叫呢？"

马赛飞对这只青蛙产生了浓厚的兴趣。他很容易就捉到了这只青蛙，因为这只青蛙已经没有力气逃了。马赛飞把青蛙捧在手里，像捧着一块冰。

借着月光，马赛飞看出这是一只雄青蛙，它已经没有多少精神了。

"你看出来没有？"孟小乔问道，"它为什么不肯冬眠呢？"

"因为它喜欢唱歌，就是在冬天，它也要唱。"马赛飞煞有介事，"但是，我估计它唱不到春天的。"

"你的意思是说，它会被冻死？"

"孟小乔，你真是连起码的动物常识都不懂。它不会冻死的，但是它还是会冬眠。"

孟小乔想起那只爱听钟声的小鸟，眼前又是一只在冬天里也要唱歌的青蛙，它们都是动物，但是它们是那么有情趣，有格调，是那么令人佩服。

"我要把这只青蛙带去解剖。"马赛飞说，"看它是不是与别的青蛙不一样。"

"放开它！"

孟小乔要从解剖迷马赛飞手中把青蛙抢救出来。不知哪来那么大的劲，她把马赛飞掀翻在地，从他手中抢下了青蛙，然后脱

157

xià tā lìng yī zhī hóng duǎn xuē　bǎ tā fàng zài xuē zi li

下她另一只红短靴，把它放在靴子里。

kàn　zhè yàng tā jiù nuǎn huo le　jiù kě yǐ bù dōng

"看，这样它就暖和了，就可以不冬

mián le　mèng xiǎo qiáo lián zhū pào yī yàng de shuō dào　zhěng

眠了。"孟小乔连珠炮一样地说道，"整

gè dōng tiān tā dōu kě yǐ chàng gē　kě yǐ yī zhí chàng dào

个冬天它都可以唱歌，可以一直唱到

chūn tiān

春天。"

guā　guā　guā

"呱！呱！呱！……"

sì hū zài xiǎng yìng mèng xiǎo qiáo de huà　hóng xuē zi　lǐ

似乎在响应孟小乔的话，红靴子里

miàn de qīng wā yòu jiào qǐ lái　shēng yīn bǐ gāng cái gèng gāo

面的青蛙又叫起来，声音比刚才更高

kàng　gèng jī yuè　yīn wèi tā xiàn zài shēn tǐ nuǎn huo le　jīng

亢，更激越。因为它现在身体暖和了，精

shen jiù lái le

神就来了。

āi yā　mèng xiǎo qiáo zhè cái xiǎng qǐ tā men yǐ jīng

"哎呀！"孟小乔这才想起他们已经

dān wu hěn jiǔ le　　wǒ men huì

耽误很久了，"我们会

bù huì chí dào

不会迟到？"

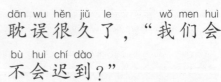

mèng xiǎo qiáo hé mǎ sài fēi

孟小乔和马赛飞

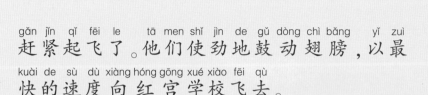

赶紧起飞了。他们使劲地鼓动翅膀，以最
快的速度向红宫学校飞去。

刚飞到红宫学校上空的时候，下晚
课的铃声响了。

三

孟小乔和马赛飞的身体不再像鸟儿
一样轻盈，翅膀也不能扇动了，只能起
到降落伞的作用。

他们在向地面降落。

当他们的脚离地面还有两米多高的
时候，铃声停止了，他们身上的翅膀也
随即消失了，"咚"的一声跌落在荒草

dì shang
地上。

hā hā hā
"哈哈哈!"

xī xī xī
"嘻嘻嘻!"

liù nián jí bān de tóng xué men dōu xiào qǐ lái mì ér yě
六年级班的同学们都笑起来,蜜儿也

xiào qǐ lái mèng xiǎo qiáo hé mǎ sài fēi shì zuì hòu liǎng gè huí
笑起来。孟小乔和马赛飞是最后两个回

dào huāng cǎo dì de mì ér hé tóng xué men zhèng zài nà lǐ děng
到荒草地的,蜜儿和同学们正在那里等

zhe tā men
着他们。

quán bān sān shí gè tóng xué de chì bǎng dōu méi yǒu le
全班三十个同学的翅膀都没有了,

yòu biàn huí le yuán lái de yàng zi zài mì ér de dài lǐng xià
又变回了原来的样子。在蜜儿的带领下,

tā men pò qiáng ér chū zǒu zài huí sù shè lóu de lù shang gēn
他们破墙而出,走在回宿舍楼的路上,跟

qí tā bān de tóng xué méi shén me liǎng yàng shéi néng xiǎng dào wǔ
其他班的同学没什么两样。谁能想到,五

fēn zhōng yǐ qián liù nián jí bān de xué sheng hái zài tiān shàng fēi
分钟以前,六年级班的学生还在天上飞?

bù zhī dào yǒu méi yǒu rén fā xiàn mèng xiǎo qiáo de jiǎo
不知道有没有人发现,孟小乔的脚

shang méi yǒu chuān xié tā shì chuān zhe wà zi zài dì shang
上没有穿鞋,她是穿着袜子在地上

zǒu de
走 的 。

"孟 小 乔 ！"蜜 儿 追 上 来 和 孟 小 乔 并
jiān ér xíng nǐ de xié ne
肩 而 行 ，"你 的 鞋 呢 ？"

孟 小 乔 给 蜜 儿 讲 了 爱 听 钟 声 的 小
niǎo hé jiān jué yào zài dōng tiān chàng gē bù kěn dōng mián de
鸟 和 坚 决 要 在 冬 天 唱 歌 、不 肯 冬 眠 的
qīng wā
青 蛙 。

"你 喜 欢 今 天 的 晚 课 吗 ？"蜜 儿 告 诉
mèng xiǎo qiáo zhè shì wǒ gěi nǐ men shàng de zuì hòu yī táng
孟 小 乔 ，"这 是 我 给 你 们 上 的 最 后 一 堂
wǎn kè
晚 课 。"

孟 小 乔 把 一 拉 住 蜜 儿 ："你 要 走 ？你
yāo lí kāi wǒ men ma
要 离 开 我 们 吗 ？"

"是 的 。"蜜 儿 轻 轻 握 住 孟 小 乔 的 手 ，
lái hóng gōng xué xiào zhè xiē rì zi wǒ yǐ jīng xǐ huan shàng
"来 红 宫 学 校 这 些 日 子 ，我 已 经 喜 欢 上
le xué xiào wǒ jué dìng yào zì jǐ
了 学 校 。我 决 定 要 自 己

bàn yī suǒ xué xiào
办一所学校。"

nǐ yào bàn xué xiào　　mèng xiǎo qiáo jīng xǐ wàn fēn
"你要办学校？"孟小乔惊喜万分，"

nǐ yào bàn yī suǒ shén me yàng de xué xiào
你要办一所什么样的学校？"

wǒ yào bàn yī suǒ shì jiè shang méi yǒu de xué xiào
"我要办一所世界上没有的学校。"

mèng xiǎo qiáo xiāng xìn　　mì ér bàn de xué xiào　　yī dìng shì
孟小乔相信，蜜儿办的学校，一定是

shì jiè shang zuì bàng zuì bàng de xué xiào
世界上最棒最棒的学校。

wǒ kě yǐ dào nǐ bàn de xué xiào li lái shàng xué ma
"我可以到你办的学校里来上学吗？"

dāng rán kě yǐ　　mì ér shuō　　wǒ bàn xué xiào jiù
"当然可以。"蜜儿说，"我办学校就

shì yào ràng hái zi men lái shàng xué de
是要让孩子们来上学的。"

shén me shí hou
"什么时候？"

wǒ xiǎng zài shǔ jià ba
"我想在暑假吧！"

wǒ men yī yán wéi dìng　　lā lā gōu ba
"我们一言为定！拉拉钩吧。"

mèng xiǎo qiáo shēn chū yī gēn xiǎo zhǐ tou　　mì ér shēn chū
孟小乔伸出一根小指头，蜜儿伸出

yī gēn xiǎo zhǐ tou　　liǎng gēn xiǎo zhǐ tou gōu zài le yī qǐ
一根小指头，两根小指头钩在了一起。

又刮起一阵龙卷风

我在蓝色的天幕后面，已经看见了那些向我飘来的心形风筝。

——蜜儿

一

早晨，龙校长一进办公室，就发现办公桌上有一封信，他立即有了不祥的感觉。

xìn méi yǒu fēng kǒu　　lóng xiào zhǎng bǎ　xìn kǒu cháo xià
信没有封口，龙校长把信口朝下，

yòng shǒu zhǐ qīng qīng yī tán　　yī zhāng báo báo de　xìn zhǐ jiù cóng
用手指轻轻一弹，一张薄薄的信纸就从

xìn fēng　li diào zài le zhuō shang　　lóng xiào zhǎng zhǎn kāi xìn zhǐ
信封里掉在了桌上。龙校长展开信纸，

yī kàn shì mì ér xiě de cí zhí xìn　　lái bu jí bǎ nèi róng dú
一看是蜜儿写的辞职信，来不及把内容读

wán　　biàn pǎo chū　le bàn gōng shì
完，便跑出了办公室。

　　lóng xiào zhǎng zài lóu dào li　fēi bēn zhe　　chà diǎn zhuàng dǎo
　　龙校长在楼道里飞奔着，差点撞倒

le yíng miàn zǒu lái de lóng dū jiān　lóng dū jiān jué de tā de xīn
了迎面走来的龙督监。龙督监觉得她的心

脏又要出毛病了，赶紧用双手捧住心口。她想龙校长的异常举动，肯定又与蜜儿有关。

龙校长刚跑出教学楼，头上便刮起一阵龙卷风。只见头上的天空，升腾起一团紫色的云雾。

"蜜儿——"

龙校长声嘶力竭地叫道，尽管他知道蜜儿已随着那团紫色的云雾飘然而去。

是的，蜜儿就在那团紫色的云雾里。

刚才，蜜儿正独自漫步在校园里，她依依不舍地在和红宫学校的图书馆、钟楼，还有那片梦幻的荒草地作最后的告别。当她来到教学楼前，想最后望

165

一望她心爱的六年级班的教室时，她看见龙校长从教学楼里冲了出来。看他那情形，蜜儿估计龙校长已经看见了她留在办公桌上的辞职信。

蜜儿一跺脚，"嗖"的一声，她脚上的船形鞋帮两边，伸出两只风火轮。风火轮"呼呼"地飞转着，地上立即刮起了一阵龙卷风。蜜儿撑开紫色伞，一团紫色的云雾弥漫开来。蜜儿隐身在紫色的云雾里，乘风而去。

这时，从地面传来龙校长的呼唤声：

"蜜儿——"

二
èr

那团紫色的云雾渐渐地消失在天边，
nà tuán zǐ sè de yún wù jiàn jiàn de xiāo shī zài tiān biān

龙卷风也很快地平息下来，一切恢复如
lóng juǎn fēng yě hěn kuài de píng xī xià lái yí qiè huī fù rú

初，过程是如此的短暂，仿佛什么都没
chū guò chéng shì rú cǐ de duǎn zàn fǎng fú shén me dōu méi

有发生。只是龙校长那头被风吹乱的头
yǒu fā shēng zhǐ shì lóng xiào zhǎng nà tóu bèi fēng chuī luàn de tóu

发，使他真真切切地回忆起蜜儿来到红
fa shǐ tā zhēn zhēn qiè qiè de huí yì qǐ mì ér lái dào hóng

宫学校时刮起的一阵龙卷风。那一次，他
gōng xué xiào shí guā qǐ de yī zhèn lóng juǎn fēng nà yī cì tā

的头发也被吹乱了。
de tóu fa yě bèi chuī luàn le

蜜儿随风而来，现在已乘风而去。
mì ér suí fēng ér lái xiàn zài yǐ chéng fēng ér qù

在龙校长的一生中，经历过无数的
zài lóng xiào zhǎng de yī shēng zhōng jīng lì guo wú shù de

离别，亲人的离别，朋友的离别……可从
lí bié qīn rén de lí bié péng you de lí bié kě cóng

来没有哪一次离别，像今天这样令他伤
lái méi yǒu nǎ yī cì lí bié xiàng jīn tiān zhè yàng lìng tā shāng

感，令他心痛不已。

龙校长木然地站在教学楼前，披头散发，两眼无神，把一位匆匆而来的女老师吓了一跳。龙校长从来都是衣冠楚楚、神采飞扬的，哪有这种魂飞魄散的时候？

女老师忙上去扶住龙校长："龙校长，您怎么啦？"

"走啦……"龙校长指着天上，"没啦……"

女老师顺着龙校长指的方向一看，蓝蓝的天空，除了几朵白云，什么都没有。

龙校长摆摆手，让女老师去上课。

他回到办公室，捧起蜜儿留下的那封辞职信，信纸上一缕淡淡的幽香游进他的鼻孔里。

"嗒！嗒！"

两颗热泪滴落在淡粉色的信纸上，被两颗泪水浸湿的信纸，变成了两朵鲜红的梅花。

在龙校长的记忆里，自从他上中学起，他就没有流过泪，他信奉"男儿有泪不轻弹"。可是今天，他流泪了，在蜜儿离去的时候，他失去了一个他追寻了许久的人。

失去了，才知道失去的珍贵。

当龙校长失去了蜜儿，他才知道蜜儿就是自己终生追寻的那个人。龙校长曾遍游全球，见过的美女无数，可是，只有蜜儿令他心动。然而，蜜儿并不是美女，她是那种常见常鲜、经常给人带来意外和惊喜的女人，是那种能激活人的想象力与创造力的女人，是那种能帮助你实现所有愿望和理想的女人。

今生今世，在龙校长的生活里，再也不可能有蜜儿这样的女人出现了。龙校长发誓：无论天涯海角，他都要找到蜜儿。而且，他还要向全世界的人宣布：蜜儿是他今生今世的最爱。

龙校长启动他的传真机，把他对蜜

ér de　　　ài qíng xuān yán　　chuán zhēn gěi shì jiè shang suǒ yǒu de
儿 的 "爱 情 宣 言" 传 真 给 世 界 上 所 有 的
bào zhǐ
报 纸 。

sān
三

dì èr tiān　　hóng gōng xué xiào tú shū guǎn dà tīng li de
第 二 天 ，红 宫 学 校 图 书 馆 大 厅 里 的
yuè bào lán qián　　jǐ mǎn le gè gè nián jí de xué sheng men hé
阅 报 栏 前 ，挤 满 了 各 个 年 级 的 学 生 们 和
lǎo shī men　　xū shēng yī piàn
老 师 们 ，嘘 声 一 片 。
lóng xiào zhǎng shì bù shì jīng shén chū le máo bìng
"龙 校 长 是 不 是 精 神 出 了 毛 病 ？"
ài　　bì jìng shì zài měi guó zhǎng dà de　　xíng wéi nán
"唉 ，毕 竟 是 在 美 国 长 大 的 ，行 为 难
miǎn yǒu xiē fēng kuáng
免 有 些 疯 狂 。"
lǎo shī men rèn wéi　　lóng xiào zhǎng ài shàng yī gè lái wú
老 师 们 认 为 ，龙 校 长 爱 上 一 个 来 无
zōng　　qù wú yǐng　　xíng dòng shén shén mì mì de nǚ lǎo shī jiù yǐ
踪 、去 无 影 、行 动 神 神 秘 秘 的 女 老 师 就 已

经够疯狂的了，还这么惊天动地地在全世界的报纸上发表这么一个"爱情宣言"，简直不可理喻。中国人主张爱一个人爱在心里就行了，不必说出来，更不必如此张扬。

老师们大多都是务实的，身上少有浪漫的细胞，用他们的话讲，蜜儿已经在空气中蒸发了，那么，龙校长对蜜儿的爱是没有结果的，不过是一场轰轰烈烈的爱情游戏罢了。

"龙校长做这样的事情，也不想想带来的后果。"一位德高望重的优秀老师非常担忧地说，"学生们会怎样看这个校长呢？他的校长形象势必会受到不良的影响。"

错了，这位老师完全想错了。

学生们认为龙校长做得太棒了。通过这件事情，龙校长成了孩子们心目中的英雄。

有一个高中部的男生就当场宣布：如果他今后爱上了哪个女孩子，他也要像龙校长那样，向全世界宣布。

在场的女生们全是一脸的憧憬和向往，她们都希望今后那个爱自己的人，能把他的爱向全世界宣布。

sì

（四）

　　不管老师们怎么看、怎么想，家长们怎么看、怎么想，红宫学校的学生们都是龙校长"疯狂行动"的最坚定的拥护者。

　　作为蜜儿教过的六年级班的同学们，他们是龙校长最最坚定的拥护者，他们六年级班的学生们还要用实际行动来支持龙校长。

　　六年级班的男女学生，马上拉起一幅"龙校长，我们支持您"的横幅，在校园里游行起来。现在，地球上的每一个角

落、每一个国家、每一种文字的报纸，都
发表了龙校长的"爱情宣言"，六年级班
的同学们还要帮助龙校长把"爱情宣
言"传播到海角天涯。

龙校长没日没夜地在办公室写着对
蜜儿的"真情告白"，六年级班的学生们
把这些"真情告白"一张一张地装进玻
璃瓶里，在瓶口上封上蜡，做成了许多

piāo liú píng rán hòu yòng qì chē yùn dào xué xiào fù jìn de yī tiáo
漂流瓶,然后用汽车运到学校附近的一条

jiāng biān bǎ piāo liú píng yī gè gè de fàng dào jiāng shuǐ li piāo
江边,把漂流瓶一个个地放到江水里。漂

liú píng suí bō zhú liú hé jiāng shuǐ yī dào liú xiàng yuǎn fāng zhè
流瓶随波逐流,和江水一道流向远方。这

tiáo jiāng tōng xiàng dà hǎi
条江通向大海。

jiē zhe liù nián jí bān de xué sheng men yòu zuò le xǔ
接着,六年级班的学生们又做了许

duō xīn xíng fēng zheng fēng zheng shang tuō zhe cháng cháng de piāo
多心形风筝,风筝上拖着长长的飘

dài tā men ràng lóng xiào zhǎng zài piāo dài shang
带。他们让龙校长在飘带上

xiě shàng wǒ ài nǐ lóng xiào zhǎng méi rì
写上:"我爱你!"龙校长没日

méi yè de xiě yě bù zhī xiě le duō shao
没夜地写,也不知写了多少。

zài yī gè fēng hé rì lì de xià wǔ liù
在一个风和日丽的下午,六

nián jí bān de xué sheng men bǎ duī chéng xiǎo shān
年级班的学生们把堆成小山

yī yàng de xīn xíng fēng zheng bān dào nà piàn huāng cǎo dì shang
一样的心形风筝搬到那片荒草地上。

zhè piàn huāng cǎo dì shì mì ér dài gěi tā men wú xiàn huān lè hé
这片荒草地是蜜儿带给他们无限欢乐和

zhì zào mèng huàn de dì fang tā men bǎ fēng zheng yī gè yī gè
制造梦幻的地方。他们把风筝一个一个

地放飞在蓝天上。五颜六色的心形风筝
越飞越高，飞向四面八方……

风筝飞进蓝色的天幕，在同学们的
视线里渐渐地消失了。

同学们纷纷离开了那片造梦的荒草
地，只有孟小乔还站在那里。

已走到围墙那里的庄梦娴又回到
孟小乔的身边。

孟小乔说："蜜儿就在那蓝色的天幕
后面。"

"你说蜜儿能看见我们放上去的心
形风筝吗？"庄梦娴接二连三地问道，
"你说蜜儿会接受
龙校长的爱吗？你

说蜜儿还会回到红宫学校吗?你说我们还能见到蜜儿吗?你说……"

也许孟小乔回答不了庄梦娴这些没完没了的问题,但有一点她可以肯定:就是她一定能再见到蜜儿。而且她相信,在暑假里就能见到。蜜儿说过,她要办一所地球上没有的学校,到时候,她会把孟小乔接到这所独一无二的学校里去。

櫻桃園
yīng táo yuán

快乐大冲关
kuài lè dà chōng guān

xǐ huan yáng hóng yīng zuò pǐn de péng you　　gòng yǒu yī gè kě ài de míng chēng　　yīng táo
喜欢 杨 红 樱 作品 的 朋友，共 有 一个 可爱 的 名 称 ——樱桃。

yáng hóng yīng de zuò pǐn　　yíng jiàn le　yī gè chún zhēn de tóng xīn shì jiè　／yīng táo yuán
杨 红 樱 的 作品，营 建 了 一个 纯 真 的 童心 世界——樱桃园。

qǐng nǐ jìn rù yīng táo yuán　　jìn xíng kuài lè dà chōng guān ba
请你进入樱桃园，进行快乐大冲关吧！

第一关
无敌记忆力

挑战系数 ★
闯关时限120秒

仔细阅读本书后,在规定时间内完成下面的选择题。闯关过程中不得再翻阅图书前面的内容。

1. 蜜儿重返人间时,老仙人给她的法宝是(B)

　A.透视镜　B.船形鞋　C.隐形伞　D.大披巾

2. 蜜儿的神奇紫色伞,可以看得见过去的时光,只要把伞(A)

　A.向左旋转　　　　　B.向右旋转

　C.折叠　　　　　　　D.倒立

3. 提议与爸妈一起过校庆日活动的是(A)泓乙

　A.方萍　　　　　　　B.苗壮壮

　C.龙校长　　　　　　D.蜜儿

4. 龙校长的真实姓名是(B)

　A.龙华飞　B.龙腾飞　C.龙英俊　D.龙杰成

5. zài xiào qìng rì zhè tiān chōng dāng yǔ wén lǎo shī de shì（ A ）

  A. mèng xiǎo qiáo 孟小乔　　B. lóng xiào zhǎng 龙校长　　C. rí qiàn qiàn 倪倩倩　　D. fāng píng 方萍

6. zài xiào qìng rì zhè tiān chōng dāng shù xué lǎo shī de shì（ A ）

  A. mǎ sài fēi 马赛飞　　B. dù dí shēng 杜迪生　　C. lóng dū jiān 龙督监　　D. qián fēng 钱丰

7. xiǎng zuò zhōng guó "wèi lái de qiáo dān" de shì（ C ）

  A. dù dí shēng 杜迪生　　　　　　B. miáo zhuàng zhuàng 苗壮壮

  C. mài tián 麦田　　　　　　　　D. zhuāng mèng xián 庄梦娴

8. lóng xiào zhǎng chuǎng jìn tóng xīn chéng bǎo shí qí de jùn mǎ yán sè shì（ A ）

  A. bái sè 白色　　B. hóng sè 红色　　C. hēi sè 黑色　　D. zōng sè 棕色

9. lóng xiào zhǎng zài tóng xīn chéng bǎo miàn duì de dì yī dào guān shì（ D ）

  A. tiě gùn guān 铁棍关　　　　　　B. cháng qiāng guān 长枪关

  C. tiě jiǎ guān 铁甲关　　　　　　D. cháng máo guān 长矛关

10. lóng xiào zhǎng xiǎo shí hou hěn wán pí, dà jiā dū xǐ huan jiào tā（ A ）

  A. xiǎo bèng dòu 小蹦豆　　B. xiǎo gēn dou 小跟斗　　C. xiǎo mí hu 小迷糊　　D. xiǎo táo qì 小淘气

chuǎng guān chéng gōng, qǐng jìn rù dì èr guān
闯关成功，请进入第二关。

第二关
智慧大比拼

挑战系数★★
闯关时限120秒

蜜儿随着龙卷风而来，给红宫学校带来了新鲜气息。她今天给学生们出的练习题，听说是根据世界名校的智力测试题改编的呢。

1. 四位同学排列成一行，已知：孟小乔在苗壮壮的旁边；孟小乔与倪倩倩并不相邻。如果倪倩倩与杜迪生也不相邻，那么，杜迪生的旁边是谁？

A.孟小乔 B.苗壮壮 C.杜迪生 D.倪倩倩

2. 如果一根树枝能支撑三个人，而龙校长的重量是蜜儿的两倍，孟小乔是蜜儿的一半，那么龙校长、蜜儿和孟小乔能否一起安全地站在树枝上？

A. 能　　　　　　　　　B. 不能

闯关成功，请进入第三关。

182

No.3

<ruby>第<rt>dì</rt></ruby><ruby>三<rt>sān</rt></ruby><ruby>关<rt>guān</rt></ruby>

<ruby>趣<rt>qù</rt></ruby><ruby>味<rt>wèi</rt></ruby><ruby>游<rt>yóu</rt></ruby><ruby>乐<rt>lè</rt></ruby><ruby>园<rt>yuán</rt></ruby>

挑战系数★★★
闯关时限120秒

<ruby>龙<rt>lóng</rt></ruby><ruby>校<rt>xiào</rt></ruby><ruby>长<rt>zhǎng</rt></ruby><ruby>想<rt>xiǎng</rt></ruby><ruby>进<rt>jìn</rt></ruby><ruby>入<rt>rù</rt></ruby><ruby>童<rt>tóng</rt></ruby><ruby>心<rt>xīn</rt></ruby><ruby>城<rt>chéng</rt></ruby><ruby>堡<rt>bǎo</rt></ruby><ruby>找<rt>zhǎo</rt></ruby><ruby>到<rt>dào</rt></ruby><ruby>蜜<rt>mì</rt></ruby><ruby>儿<rt>ér</rt></ruby>，<ruby>他<rt>tā</rt></ruby><ruby>必<rt>bì</rt></ruby><ruby>须<rt>xū</rt></ruby>

<ruby>通<rt>tōng</rt></ruby><ruby>过<rt>guò</rt></ruby><ruby>迷<rt>mí</rt></ruby><ruby>宫<rt>gōng</rt></ruby><ruby>里<rt>li</rt></ruby><ruby>的<rt>de</rt></ruby><ruby>层<rt>céng</rt></ruby><ruby>层<rt>céng</rt></ruby><ruby>关<rt>guān</rt></ruby><ruby>卡<rt>qiǎ</rt></ruby><ruby>才<rt>cái</rt></ruby><ruby>能<rt>néng</rt></ruby><ruby>到<rt>dào</rt></ruby><ruby>达<rt>dá</rt></ruby>。

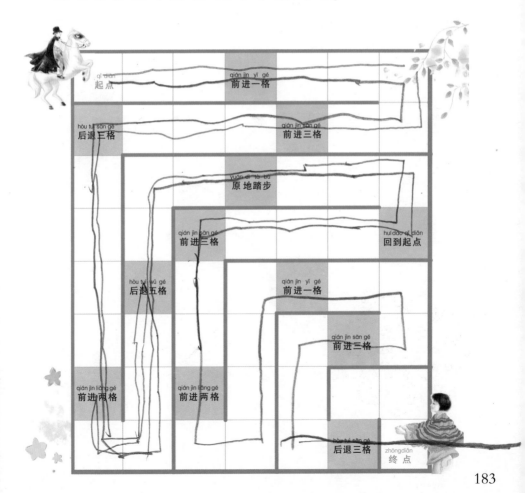

zì jǐ dòng shǒu zhì zuò yī gè tóu zi hé jǐ gè qí zǐ shì zhe hé
自己动手制作一个骰子和几个棋子，试着和
xiǎo huǒ bàn men yī qǐ wán yóu xì qí zǒu chū mí gōng ba
小伙伴们一起玩游戏棋，走出迷宫吧。

gōng xǐ nǐ chéng gōng chuǎng guò běn shū suǒ yǒu guān qiǎ
恭喜你成功闯过本书所有关卡，
qǐng zài jiē zài lì yíng jiē xià yī běn shū de tiǎo zhàn
请再接再厉，迎接下一本书的挑战！

184

yīng táo yuán
樱桃园
jù lè bù
俱乐部

樱桃们 qǐng zhù yì le, nǐ xiǎng dé dào yáng hóng yīng qīn bǐ qiān míng
樱桃们 请注意了,你 想 得 到 杨 红 樱 亲 笔 签 名

de zhào piàn ma nǐ xiǎng dé dào gèng duō de zhè shào bǎn hǎo shū ma nǐ zhǐ yào
的 照 片 吗?你 想 得 到 更 多 的 浙 少 版 好 书 吗?你 只 要——

wán chéng "yīng táo yuán · yáng hóng yīng zhù yīn tóng shū" měi běn
● 完 成 "樱 桃 园 · 杨 红 樱 注 音 童 书" 每 本

shū zhōng de kuài lè dà chōng guān yóu xì jí qí quán tào shū gòng
书 中 的 快 乐 大 冲 关 游 戏,集 齐 全 套 书 共

zhāng bù tóng de yīng táo shū xiāng kǎ
12 张 不 同 的 樱 桃 书 香 卡。

jiāng chōng guān dá àn hé yīng táo shū xiāng kǎ lián tóng tián xiě wán
● 将 冲 关 答 案 和 樱 桃 书 香 卡 连 同 填 写 完

zhěng de yīng táo dàng àn jì zhì
整 的 樱 桃 档 案 寄 至:

zhè jiāng shěng háng zhōu shì tiān mù shān lù hào
浙 江 省 杭 州 市 天 目 山 路 40 号

zhè jiāng shào nián ér tóng chū bǎn shè wén xué biān jí shì
浙 江 少 年 儿 童 出 版 社 文 学 编 辑 室

yīng táo yuán shōu
樱 桃 园 收

yóu biān
邮 编:310013

nǐ jiù kě yǐ jiā rù "yīng táo yuán jù lè bù" wǒ men jiāng cóng yīng táo men jì
你 就 可 以 加 入 "樱 桃 园 俱 乐 部"。我 们 将 从 樱 桃 们 寄

lái de zī liào zhōng tiāo xuān wèi xìng yùn huì yuán zèng sòng yáng hóng yīng qīn bǐ qiān
来 的 资 料 中,挑 选 100 位 幸 运 会 员,赠 送 杨 红 樱 亲 笔 签

míng zhào hé jià zhí yuán de zhè shào bǎn tú shū
名 照 和 价 值 100 元 的 浙 少 版 图 书。

樱桃档案
yīng táo dàng àn

姓名：龙馨宇 　**性别**：男 　**年龄**：9
xìng míng 　*xìng bié* 　*nián líng*

学校：长春佳园小学 　**班级**：三四
xué xiào 　*bān jí*

爱好：sài mǎ sǐ 　zhyāo
ài hào

最爱读杨红樱的哪一本图书：暖云力日寸光的钟
zuì ài dú yáng hóng yīng de nǎ yī běn tú shū

最想对杨红樱说的一句话：你写得tóng
zuì xiǎng duì yáng hóng yīng shuō de yī jù huà

话！很有心，请多写一点、

详细地址(含邮编)：杌mǐ
xiáng xì dì zhǐ hán yóu biān

联系电话：杌mǐ 　**MSN或QQ号**：杌mǐ
lián xì diàn huà 　*huò hào*

187

běn shū dá àn qǐng jiàn   shā mò yùn dòng huì   yī shū
本书答案请见《沙漠运动会》一书。

xiān nǚ mì ér   dá àn
《仙女蜜儿》答案：

dì yī guān
第一关　　1．B　2．A　3．C　4．B　5．A　6．C　7．C
　　　　　8．C　9．A　10．D

dì èr guān　　　　fēn zhōng　　dì yī lì hé dì èr lì jiàn gé　　fēn zhōng　dì èr lì
第二关　　60分钟 。(第一粒和第二粒间隔30分钟，第二粒

hé dì sān lì jiàn gé　　fēn zhōng　　yīn cǐ chī dì sān lì shì zài dì
和第三粒间隔30分钟，因此吃第三粒是在第60

fēn zhōng
分钟 。)

dì sān guān
第三关　　1．G　2．B　3．F　4．A　5．C　6．E　7．D　8．H

188

图书在版编目（CIP）数据

最美的一课/杨红樱著.—杭州:浙江少年儿童出版
社,2010.5
（樱桃园·杨红樱注音童书）
ISBN 978-7-5342-5882-4

Ⅰ.①最… Ⅱ.①杨… Ⅲ.①汉语拼音-儿童读
物 Ⅳ.①H125.4

中国版本图书馆 CIP 数据核字(2010)第 049914 号

樱桃园·杨红樱注音童书

最美的一课

杨红樱/著

责任编辑　王宜清
美术编辑　周翔飞
装帧设计　小飞侠
插　图　跳房子工作室
责任校对　倪建中
责任印制　吕　鑫

浙江少年儿童出版社出版发行
地址:杭州市天目山路40号
网址:www.ses.zjcb.com
杭州富春印务有限公司印刷
全国各地新华书店经销
开本 889×1300　1/32
印张 6.1875
印数 1—30000
2010 年 5 月第 1 版
2010 年 5 月第 1 次印刷
ISBN 978-7-5342-5882-4
定价: 17.00 元
（如有印装质量问题，影响阅读，请与承印厂联系调换）